日本の政策はなぜ機能しないのか？

EBPM（エビデンスに基づく政策）の導入と課題

杉谷和哉

光文社新書

はじめに

「なんでこんな変な政策が決まったんだろう」、「こんな無駄な政策、いつまで続けるつもりなんだろう」と思ったことはありませんか？　理由は色々考えられます。政治家や官僚が自分に有利な政策を無理やり決めている、一部の利益団体の言うことを聞いている、などなど。こういう自分勝手な人たちには、政策を作るプロセスから一刻も早く退場してもらって、もっと有能で、みんなのことを考えられる人たちに政策を決めてほしい、と誰もが考えるはずです。

個人や民間では解決できない様々な課題に対して、問題解決のために政府や自治体は計画を作り、様々なサービスを供給しています。こうした、問題解決の術や政府活動のプランのことを「公共政策」と呼びます。公共政策は私たちの生活を支える重要なものですから、優れた体制で立案されることが望ましいですし、うまくいく政策が実施されるに越したことはありません。ですが、それを可能にする前提が今、危うくなっていると言われています。

たとえば、あまり識見や実力が確かだとは思われていない人々が、政府の会議のメンバーに任命されたことが批判的に取りざたされることがしばしばあります。府省庁、あるいは政府の人選能力に疑問符をつける人も少なくないようですが、政策に携わる人々のおかれている状況にも問題がありそうです。とりわけ官僚の働き方は過酷で、官僚になりたい人が減っていると言われています。府省などに優秀な人材を集めて能力を向上させ、その能力を遺憾なく発揮できる環境作りが求められていることは確かです。

研究者もこうした状況を前に、ただ手をこまねいてきただけではありません。こういった課題を解決すべく、様々な理論が開発されてきました。中でも近年、注目を集めているのが「EBPM」です。これは、Evidence-Based Policy Making の略で、「エビデンスに基づく政策形成」、「エビデンスに基づく政策決定」などと訳されます。その名の通り、政策をエビデンスに基づいて作り、進めるという考え方を表したものです。EBPMの厳密な定義や事例については後で詳しく見ますが、たとえばビッグデータを用いて最適な交通網を整えるだとか、統計データに裏打ちされた効果のある政策を作るといったものがイメージされやすいでしょう。

日本政府が好んで使うフレーズに、「エピソード・ベースからエビデンス・ベースへ」というものがあります。これは、今までの政策がいい加減な根拠で決まってきたこともあったとの反省を示しているものと思われます。これからはキチンとした「エビデンス」に沿って政策を進めていくという決意の表れと見てとれます。

その決意自体はいいとして、問題なのは、一体何を「エビデンス」とするかです。実はこのことが大問題で、「エビデンス」の中身をめぐっては、実務レベルでも研究レベルでも、様々な見解が混在しており、一致には至っていません。この点は少しややこしく、話も長くなるので、後ほど詳しく見ることとしましょう。

まずはＥＢＰＭの基本的な発想について考えてみましょう。それは詰まるところ、「政策を合理化したい」という願望に他なりません。本書のキーワード、「政策の合理化」が出てきました。「政策の合理化」とは、効果のあることが証明された政策を作り、それを実施することです。あるいは、政策を検証してみた結果、「これはどうも効果がないらしいぞ」と分かった政策は終わらせなければなりません。このような「効果のある政策を作って実施し、効果のない政策を終わらせる」ことが、「政策の合理化」に繫がるわけです。

　合理的な政策は、期待された効果を発揮しますし、多くの人々を幸せにします。その政策を作った官僚も、それを命じた政府も褒められます。損する人が誰もおらず、まさにｗｉｎ－ｗｉｎの関係ですね。ＥＢＰＭはこの「政策の合理化」に深く関わっています。とりわけ、「効果のある政策を作って実施する」ことがＥＢＰＭの本丸ですから、まさに政策を合理化しようという試みの最先端であると言えるでしょう。

　ただ、ＥＢＰＭに類するこのような発想、そしてそれに連なるこうした取り組みは、今に始まった話ではない点にも注意が必要です。日本では１９９０年代後半頃から２０００年代前半にかけて、地方自治体で「政策評価」の取り組みが広がっていきました。これは中央政府にも波及し、２００２年には「行政機関が行う政策の評価に関する法律」（いわゆる「政策評価法」）が施行され、政策を客観的な視点から評価する取り組みが進められてきていた経緯があります。今日、政策評価制度は中央政府でも定着し、様々な取り組みがなされています。[1]ですので、「政策の合理化」というプロジェクトは、20年以上前から始まっていたものであり、ＥＢＰＭはその衣鉢(いはつ)を継いだものでもある、と見ることもできるわけです。

　ここで一つの疑問が浮かんできます。「政策評価をやっているのに、どうして日本の政策はちっともよくなっていないのか」という疑問です。この疑問はもっともな側面もありますが、もう少し落ち着いて眺める必要があります。というのも、政策評価の取り組みが進み、日本の政策はよくなった面もあるからです。ある自治体では政策評価を導入したお陰で、無駄な予算を大幅にカットすることができました。予算カットは、その分必要な他のところにお金を回すことに繋がりますから、大きなメリットがあります。

しかし、20年近く続いてきた政策評価も、完璧なシステムではありません。長く運用していくにつれ、思いがけない欠陥が明らかになり、失敗も多く見られるようになってきました。評価の形骸化、無駄なペーパーワークの増加、それに伴う「評価疲れ」がその典型です。私も、いくつかの自治体で政策評価のことを聞いてみましたが、その評判はすこぶる悪いと言わざるを得ません。

ＥＢＰＭという新しい試みが始まりつつある中、その先駆けであった政策評価がボロボロになっている、というのは何とも縁起の悪い話です。導入から20年以上が経とうとする中で政策評価は、大きな曲がり角にきているようです。なぜ、政策の合理化はうまくいかないのでしょうか。新しく登場したＥＢＰＭは、この課題をうまく乗り越えることができるのでしょうか。

　このような関心のもと、本書は「政策の合理化」という、政策に関係する学問が長いあいだ目指してきたテーマについて取り扱います。政策に関係する学問と一口に言っても、幅広い領域に及びます。政策と深い関係にある政治学はもちろんのこと、官僚や官僚組織について扱う行政学や、ＥＢＰＭにおいても大きな存在感を発揮している経済学、効率的な組織運営を研究してきた経営学、政策の基盤となる法律についての学問である法学など様々あります。私が専門とする「公共政策学」とは、右に挙げたような諸領域を参照しつつ、よりよい公共政策の在り方を探求することで、社会問題の解決に取り組む学問領域です。政治学や経済学といった、いわゆる王道の社会科学に比べれば、まだ新顔ではありますが、最近は教科書も充実してきています。

　問題解決をその存在意義とする公共政策学にとって、政策の合理化は極めて重要で、様々な議論が交わされ、たくさんの試みがなされてきました。その歴史はまさに、見果てぬ夢を追い続けてきた人類の挑戦と挫折の歴史、と言ってもいいかもしれません。ＥＢＰＭという言葉が世間に飛び交い、政策の合理化をめぐって新しい議論が始まりつつある今、こうした歴史を踏まえつつ、その特徴や意義、そして限界について、あくまでも大まかではありますが、全体を見通せる見取り図を描く、それが本書の目的となります。

本書の構成は次の通りです。第1章の「EBPMの出現」では、EBPMの成り立ちについて説明します。EBPMは米英で始まり、世界中で広まりを見せました。ここではまず、米英の取り組みと成果について説明します。第2章「日本における政策評価」では、少し時計の針を戻し、2000年代初頭の頃から始まった日本の政策評価の歴史を振り返ります。というのも、この時代に試みられてきた実践や失敗は、今日のEBPMにとっても大きな教訓を残しているからです。EBPMの導入にあたって、既存の取り組みとの兼ね合いという論点とも関係するもので、極めて大事なポイントとなります。第3章「日本におけるEBPM」では、2018年頃から本格的に様々な取り組みがスタートしつつある日本について取り上げます。日本の取り組みは米英のものと比べると見劣りする点が否めないのですが、それでも着実に成果をあげている部分もあります。第4章「エビデンスを掘り下げる」では、EBPMにおける「エビデンス」の概念を様々な角度から考察し、議論に奥行きを与えます。結論を先取りして言えば、EBPMにおける「エビデンス」とは、基本的には政策の因果関係に関わる情報を指しています。しかし、政策に活用するにあたっては、それだけでは不十分だとされています。それでは、どういった要素を考慮に入れる必要があるのか。こうしたことを考えるのが第4章の内容です。そして、これらの検討を踏まえて、結局のところ、E

ＢＰＭとは新しいのかそうでないのかということを考えます。第5章「政策の合理化はなぜ難しいのか」では、これまでの章をもとに、政策を合理化しようとするこれまでの試みの多くが、なぜ挫折を強いられたかについて検討します。最後に第6章「ＥＢＰＭのこれから」では、本書全体の議論をまとめつつ、今後の展望を描くこととします。

本論に入る前に、私の立場を明確にしておきましょう。

たとえば、最初に挙げた二つの問題、すなわち「政策過程を合理化してちゃんとした政策が作られるようにしないといけない」だとか、「省庁の政策能力をもっと向上させないといけない」といった意見は、いずれも正論です。私も政策研究者として、これらの問題は解決されなければならないと心から思います。ですが、同時にこうも考えます。「たとえそれらの問題が全て解決したとしても（あり得ない話ですが）、根本的な課題は残されるのではないか」と。このように聞くと、「何をやっても無駄なのか」という諦観にとらわれてしまうかもしれません。しかし、ここで諦めてしまうのは一番ダメです。それでもなおできることをやらないといけない。ただ、そのよかれと思ってやったことが、かえって事態を悪化させてしまうかもしれません。というより、公共政策においてはこういったことがしばしば起きるのです。

ですので、私は本書で皆さんに、ある問題に対する優れた処方箋を提示したいわけではありません。むしろ示したいのは、これまで幾重にも重ねられてきた人々の知恵と努力です。それらは決して無意味ではなかったのですが、必ずしもうまくいったものばかりではありません。真新しいアイデアが出る度に忘れ去られてしまいがちな、こうした歩みをいま一度整理し、皆さんに提示することで、これからの政策をめぐる議論に幾ばくかでも資することができれば、私にとってこれ以上の幸福はありません。

日本の政策はなぜ機能しないのか？　目次

第3章 日本におけるEBPM 89

第1章

ＥＢＰＭの出現

ＥＢＰＭの起源

「ＥＢＰＭ」という言葉そのものの起源は英国にあると言われています。１９９０年代後半から労働党の党首で首相の地位にあったトニー・ブレアによる政権（１９９７〜２００７年）が、ＥＢＰＭを開始しました。当時、長らく政権の座にあった保守党から久々に政権の座を奪えた労働党でしたが、これまでの労働党とは違う、「第三の道」を打ち出したことが大きな勝因だったとしばしば指摘されています。

「第三の道」の中身は多様で、一言で説明するのは難しいのですが、要するにサッチャリズムに代表される（いわゆる）新自由主義路線でもなければ、ブレア以前の労働党のような、社会主義的な路線でもない、というくらいの理解でひとまずは問題ありません。ブレアが掲げたのは、「政府の近代化」という方針でした。この方針は、研究の成果を活用することで、質の高い政策を生み出し、歳出削減を達成しようとするもので、様々な取り組みが実行に移されました。その中で唱えられたのがＥＢＰＭに他なりません。

こうした動きが出る少し前から、医療分野でＥＢＭ（Evidence-Based Medicine）の動きが始まっていました。これは、個々の患者が有益な医療を受けられるように、医者の経験や勘などだけに頼らないことを目指した動きです。ブレア政権の方針として掲げられたエビデンス重視は、このＥＢＭにも影響を受けたものだったと言われています。

こうして進められることになったＥＢＰＭですが、肝心なのは、何を「エビデンス」とするかです。実際、これまでの政策が全く何の根拠もなく進められていたかと言えば、決してそうではありません。そこにはそれなりの理屈があったはずです。しかし、ＥＢＰＭにおける「エビデンス」は、今までと異なり、より厳密なものとなっています。ここにＥＢＰＭの新しさの一つがあると言えるでしょう。

では、ＥＢＰＭにおける「エビデンス」とは、一体何なのでしょうか。端的に言ってしまえばそれは、政策の因果関係を表すものです。ここで問題となるのが、政策の因果関係はそう簡単には分からないという点です。たとえば、ある高校で、新しいデジタル教材を用いた教育手法を導入したとします。その結果、生徒の模試の成績が向上した場合、この新しい教材は効果的であると言えるでしょうか。

このケースで言えば、模試の成績向上が本当にその教材のお陰だったのかを厳密に探るためには、もう少し工夫が必要です。ある模試の成績が高校全体で上がったとしても、それは本当にその教科書の効果であるかは分からないからです。たまたま先生が作った小テストが模試の出題範囲と合っていたのかもしれませんし、その学校の生徒が多く通う学習塾の教え方がよかったからかもしれません。こうした様々な要因を考慮に入れると、果たして本当にその教材が効果的だったかどうかは分からなくなってきます。

そこで用いられるのが「ＲＣＴ」(Randomized Controlled Trial：ランダム化比較試験)と呼ばれる方法です。かいつまんで言えば、ある集団をランダムに二つのグループに分け、片方にはある処置を施し、もう片方には施さないことによって、その処置の効果を測定するという手段です。先に挙げたケースで言えば、学校の中で新しい教材を使って教えるグループと、そうでないグループをランダムに分けた上で、模試の成績を比較すればいいわけです。

この手法は主に医学の分野で発展してきたと言われています。投薬をはじめとした治療の効果は、主としてこうしたプロセスを経て確認されます。しかも、たった一つの実験ではなく、たくさんの実験の解析を通じて得られた知見によって、厳密な因果関係の把握が目指されます。そして、ＥＢＭにおいてもランダム化比較試験が重視されています。この点にもまた、ＥＢＰＭが受けているＥＢＭからの影響を見出すことができます。

ちなみに、ＥＢＰＭにおいてはしばしば、「エビデンスのハイアラーキー」、「エビデンス

図表1-1：エビデンスのハイアラーキー

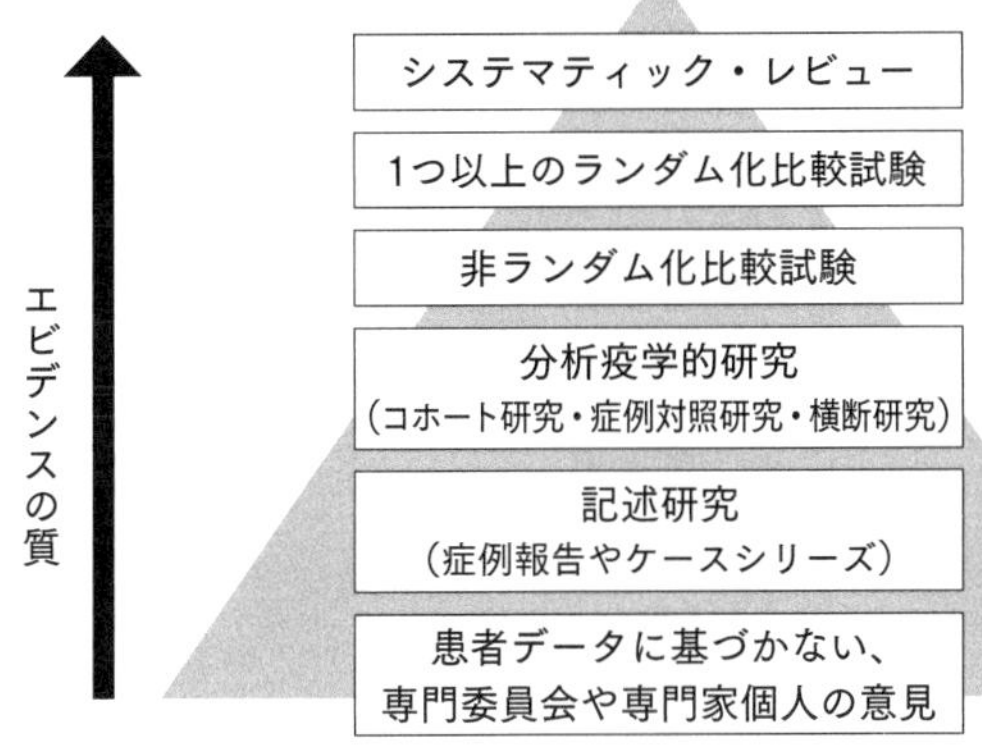

出典：杉谷（2022：2）より抜粋

の黄金律」などと呼ばれる考え方が重視されると論じられています。これもまたＥＢＭがその源流にあります。この考え方は**図表1-1**の通り、エビデンスをその「確からしさ」の順にランク付けし、一番上のエビデンスを重視しよう、というものです。[2] 見れば分かるように、ＲＣＴは高い順位にいますが、実は一番ではありません。正確に言えば、単一のＲＣＴではなく、たくさんのＲＣＴを解析したことによって得られた結果が最も信頼できるエビデンスであるとされます。たった一つのＲＣＴだけでは、偶然そうなった可能性を必ずしも排除できません。ある特定の地域だから、ある特定の場で実施したからうまくいった可能性もあるためです。ただし、後に述べるように、公共政策において、このような理想的なエビデンスを常に入手できるかというと、必ずしもそうではない点に注意が必要です。

ここまでの議論を確認した上で、ランダム化比較試験を用いた政策効果の検証として、具体的にどのような事例があるのかをこれから見ていきましょう。

ランダム化比較試験（RCT）を用いた政策検証の実例

海外では犯罪予防及び更生を目指す刑事政策においてエビデンスの蓄積が進んでいます。これらの分野は、Evidence-Based Policing（エビデンスに基づく警察・防犯政策）と呼ばれ、数多くの論文が出版され、関連書籍も多く世に出ています。

有名な事例を見てみましょう。「スケアード・ストレート」というプログラムがあります。これは、「怯え」(Scared) ることによって、「矯正」(Straight) されることを目的としたもので、非行少年たちが刑務所を訪問し、そこで服役している凶悪犯たちに出会い、色々な話を聞きます。そして、「お前たちは真っ当に生きろ、こんな風になるな」と凶悪犯たちは子どもたちを諭します。その絵面（えづら）のもつ強烈なインパクトから、日本のバラエティ番組でもしばしば紹介されてきたので、ご存じの方もおられるかもしれません。さて、このプログラムには効果はあったのでしょうか。

このプログラムを受けた集団と、受けていない集団の再犯率を比べれば、効果の有無は分かります。すると、このプログラムを受けた生徒たちの方が、再犯率が高かったことが分かりました。原因については様々な指摘がありますが、効果があると思われていた政策がむしろ逆効果だったという事実に、多くの人が驚いたと言われています。

あるプログラムが有効だった事例も見てみましょう。薬物の使用によって犯罪に走った人たちに対して、通常の刑事司法プロセスと並行し、薬物依存を克服するためのプログラムを受講させます。これは「ドラッグコート」と呼ばれる取り組みで、いくつかの国々で導入されているものです。１９９９年、この取り組みを先進的に導入したオーストラリアのニューサウスウェールズ州では、ランダム化比較試験を通じてプログラムの効果を検証しました。その結果、従来の司法制度を経た犯罪者１００人のうち62人が薬物犯罪に再び手を染めてしまったのに対して、ドラッグコートを経た犯罪者１００人の場合は、薬物犯罪の再犯者は8人でした。ドラッグコートの効果があることが分かったのです。[3]

このように、ランダム化比較試験による検証は極めて有用で、多くの政策分野に活用されるポテンシャルを秘めていると言えます。日本での実例はまだそれほど多くはありませんが、これから更に増えていくことが期待されています。

英国におけるEBPMの広まり

ブレア政権以降、ＥＢＰＭを推進することになった英国ですが、具体的にどういった取り組みがなされているのでしょうか。

英国におけるＥＢＰＭで有名なものの一つが、ＷＷＮ（What Works Network）と呼ばれる取り組みです。ＷＷＮの実働は、ＷＷＣ（What Works Centre）という機関によって行われています。ＷＷＣには七つの機関があり、その全体像は**図表1－2**にある通りです。[4]この通り、英国のＥＢＰＭは多様な政策分野に及んでいます。これらの機関は、概念上は２５００億ポンド（約48兆円）をカバーしているとされます。この全ての予算が精緻なエビデンスに基づいてシステマティックに行われているわけではないようですが、それでもかなりの規模であることが分かります。[5]

中でもよく知られている取り組みとして、「エビデンスのツールキット」と呼ばれるものがあります。**図表１‐３**（28ページ）は、Toolkitを公開しているHP画面をキャプチャしたものです。[6]

図表１‐３にある政策は、**図表１‐２**にあるWWCの一覧のうち、地域経済の活性化を担う、The What Works Centre for Local Economic Growthが所管する政策です。この政策は、その人に合った適切な職業訓練選択に繋げるため、キャリアカウンセリングを実施するというものです。このHPは、こうした取り組みに効果があるか否かを示しています。

このツールキットには三つのアイコンがありますが、それぞれ、「エビデンスの確実性」、「コスト」、「効果があるかどうか」を表しています。このHPによれば、検証した研究結果がまだそれほど多くないため、エビデンスの確実性はそれほど高くなく、コストもそれなりにかかる反面、現状集められるエビデンスからすれば、それなりの効果が期待できる、と述べられています。まだまだ検証が必要、といったところでしょう。

これらのエビデンスは、たくさんの研究結果のレビューを通じて作成されています。多くの実務者たちは忙しく、細かい研究結果まで調べる時間がありません。また、難解な専門用語や複雑な数式に彩られた論文を読んで、その内容を理解するのは簡単なことではありません。このため、WWNにおいて作られているエビデンスのツールキットは、分かりやすい表

年間予算（百万£）	設立概要・主な取り組み	資金拠出
71.3	・医療機関において費用対効果の視点からエビデンスを創出し、関連機関への普及を図る	・Department of Health and Social Care
16.5	・英国のシンクタンクと保護者団体が教育省の支援を受けて設立 ・4900の学校でRCTを含む多数の実証実験を行う	・Department for Education
1.5	・地方議員が中心となり、複数の非営利団体設立 ・早期介入に関するエビデンスの評価、アドボカシー等	・Department for Communities and Local Government等
1.5	・既存のエビデンスのレビューや、政策形成者へのコンサル等 ・ツールキットの公開等	・Collage of Policing ・ESRC（経済社会研究会議）
1.25	・LSEや他のシンクタンク、コンサルタントが共同で運営 ・エビデンスのレビューや政策形成者に対する助言等	・ESRC ・Department for Business, Energy, and Industrial Strategy等
1.3	・ESRCや他の政府組織の共同出資により設立 ・設立組織へのエビデンスの提供や利用支援、エビデンスのレビュー等	・ESRCやその他、政府や民間ファンドの出資 ・寄付
5.3	・Big Lottery Fundからの支援を受けて設立 ・研究。エビデンス・実践を架橋して高齢社会における望ましい取り組みを明らかにする	・Big Lottery Fund ・Department for Health and Social Care等

図表1-2：What Works Networkの内容

組織	設立年	分野	組織形態
National Institute for Health Care Excellence (NICE)	1999	医療・ヘルスケア	政府外公共機関 (Non-departmental Public Body)
Education Endowment Foundation/Sutton Trust (EEF)	2011	3～18歳の(特に不利な状況におかれた)子供への教育	慈善団体
Early Intervention Foundation (EEF)	2013	子供・青少年の非行や暴力、虐待に対する早期介入	慈善団体
What Works Centre for Crime Reduction (College of Policing)	2013	犯罪抑止	政府保有有限会社の一部
The What Works Centre for Local Economic Growth (WWG)	2013	地域経済の活性化・雇用創出	London School of Economics (LSE) 等による共同事業
What Works Centre for Well-Being	2014	福祉・多面的な豊かさ	コミュニティ利益会社
Centre for Ageing Better	2015	高齢者の生活の質	慈善団体・有限責任会社

出典：杉谷(2022：28)より抜粋

図表1-3：エビデンスのツールキット

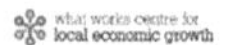

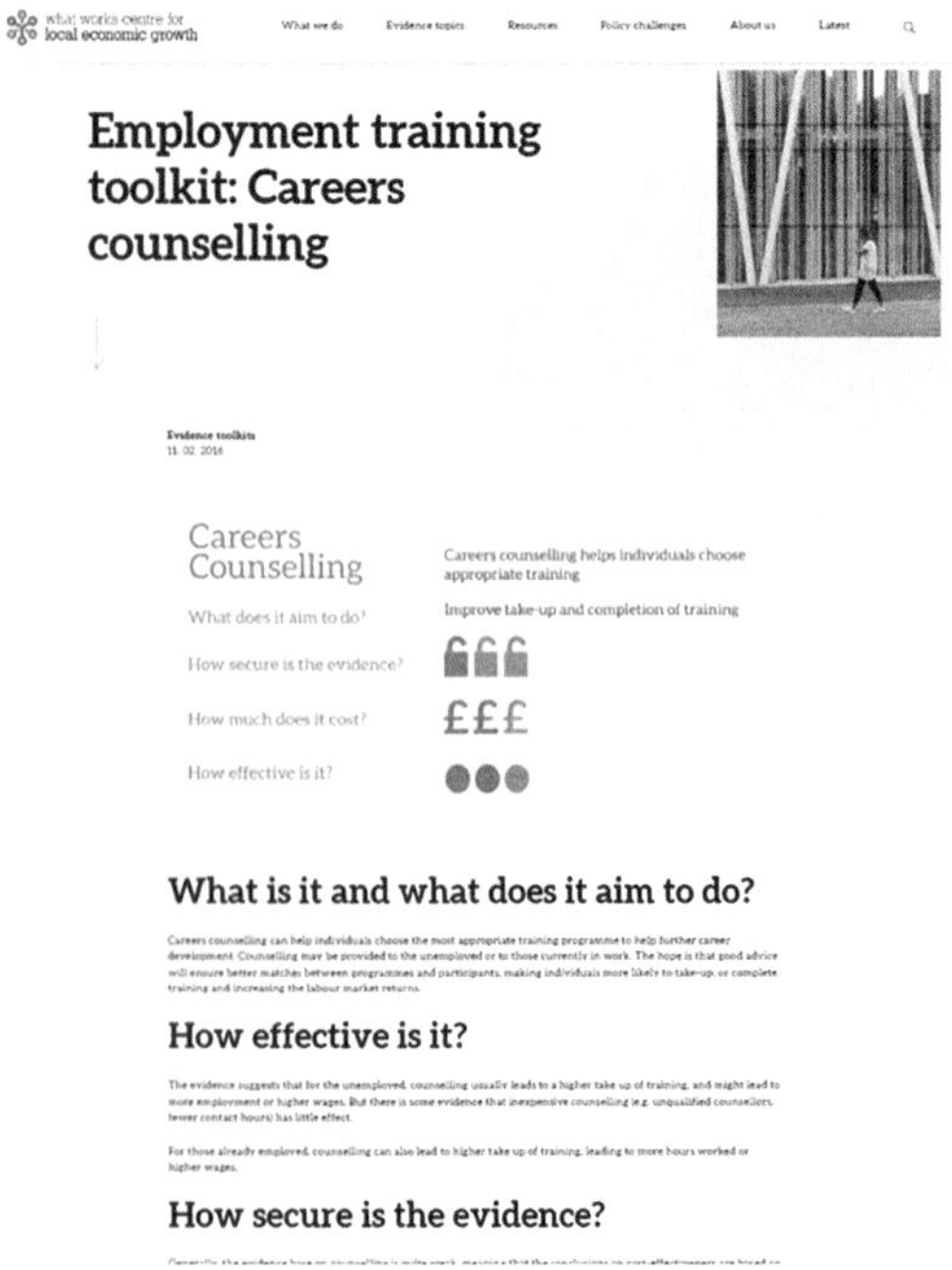

What we do　Evidence topics　Resources　Policy challenges　About us　Latest

Employment training toolkit: Careers counselling

Evidence toolkits
11. 02. 2016

Careers Counselling

	Careers counselling helps individuals choose appropriate training
What does it aim to do?	Improve take-up and completion of training
How secure is the evidence?	🔒🔒🔒
How much does it cost?	£££
How effective is it?	●●●

What is it and what does it aim to do?

Careers counselling can help individuals choose the most appropriate training programme to help further career development. Counselling may be provided to the unemployed or to those currently in work. The hope is that good advice will ensure better matches between programmes and participants, making individuals more likely to take-up, or complete training and increasing the labour market returns.

How effective is it?

The evidence suggests that for the unemployed, counselling usually leads to a higher take up of training, and might lead to more employment or higher wages. But there is some evidence that inexpensive counselling (e.g. unqualified counsellors, fewer contact hours) has little effect.

For those already employed, counselling can also lead to higher take up of training, leading to more hours worked or higher wages.

How secure is the evidence?

示が心がけられています。

ＷＷＮの役割は大きく分けて三つあると言われています。第一の役割が「エビデンスの創出」です。この役割を果たすために、「何が役に立つか」（What Works）に着目した研究レビューが行われます。第二の役割が、「エビデンスの分かりやすい伝達」です。これは決してその本意を歪めることなく、エビデンスが示す含意を意思決定者や現場の実務者たちに伝えることを指します。第三の役割が、「エビデンスの適用」です。これは、エビデンスが支持する政策の実装を支援するもので、実例をはじめとした様々な情報を提供しています。

これらの取り組みによって、ＥＢＰＭのトップランナーとして世界的に知られることになった英国ですが、ことエビデンスに対する印象については、まだまだ対立の様相があるようです。

「マーマイト」という発酵食品をご存じでしょうか。ビール造りの過程で出る酵母を主原料としたもので、英国のソウルフードとも称されています。バタートーストに塗って食べるのが一般的で、日本でも買えるお店はあります。ただ、マーマイトは好き嫌いの分かれる食品のようで、癖になるとやめられないけれども、合わない人には本当に合わないそうです。英国におけるＥＢＰＭの最新状況を調査した研究者らは、ＲＣＴをはじめとした精緻な手法によるエビデンス志向を、このマーマイトに喩えています。[7] 要するに、ものすごく偏愛する人もいれば、ものすごく毛嫌いする人もいる、というわけで、その対立の根深さが表現されています。ＷＷＮの中で医療・ヘルスケア部門を担当している、古参の組織であるＮＩＣＥにおいても、開設当初ほどは厳密なエビデンスへのこだわりが失われつつあるようで、実際に運用していくことの難しさが垣間見えます。[8]

米国におけるEBPMの取り組み

先ほど、ＥＢＰＭの起源は英国にあり、それは医療から始まったものだ、と書きました。この説明は間違っているわけではありませんし、実際、このように書かれているテキストは珍しくありません。

ただ、歴史を振り返ると、ＥＢＰＭやそれに類する発想が全て医療からやってきたものだと言い切るのは、少し慎重になるべきと分かります。というのも、米国においては、ＥＢＰＭという言葉が流行するはるか前から、ＥＢＰＭ的な取り組みが行われていたからです。最初期の取り組みの一つとして有名なのが、「ケンブリッジ・サマービル青少年研究評価」

(The Cambridge-Somerville Youth Study Evaluation) です。これは1930年代に実施された、犯罪学史上初の大規模なランダム化を用いた実験としても知られています。この研究の目的は、非行の防止です。米国では当時から既に、貧困層や家庭に問題を抱えた子どもたちが、ギャングになったり、犯罪に手を染めたりするといったことが社会問題となっていました。そこで、非行に走る危険性があるとされた約500人の子どもたちを対象に、あるグループに対しては、カウンセラーをつけて勉強や精神面での支援を行い、もう一方のグループに対してはそうした支援をしないという実験を行いました。

さて、こうした研究の結果はどうだったでしょうか。子どもたちの非行防止に役立ったでしょうか。介入群の子どもたちには手厚い支援が行われましたから、効果がありそうなものです。ところが、結果は全く違っていました。というのも、介入を受けた少年たちの方が再犯率やアルコール依存の度合いが高かったのです。原因については様々な要因が指摘されていますが、いずれにせよ、実験を行うことによって意外な結果が明らかとなったのでした。[9]

この研究のもう一つのポイントは、息の長い追跡調査がなされたことです。プログラム自体は1930年代に実施されたものだったのですが、数十年に及ぶ追跡調査が行われています。中長期的に対象を見る必要がある場合には、10年以上のスパンで追跡を行う必要があるのですが、ここまでの長期性を伴った研究は、日本ではなかなか見られません。

このように、米国ではEBPMという言葉が流行する前から、実験によって政策の効果を検証しようとする発想が根付いていました。実際、「ケンブリッジ・サマービル青少年研究評価」以降も、多くの実験による政策効果の検証が米国では行われました。特に、1960年代〜1970年代は、盛んにRCTが行われた時代であったと言われています。

有名な事例をもう一つ紹介しておきましょう。「負の所得税」という言葉を聞いたことがありますか？　ある一定の水準を定め、所得がそれを下回った場合に、給付金を受けられる制度です。皆さんはこの制度をどう思われますか？　収入が少ない人が一定の生活を維持するために役立ついい制度だとする意見もある一方、他方で人々の労働意欲を損なうのではないかとの意見もあります。

「ニュージャージー負の所得税実験」は、実際にやってみてどうなるか確かめようとしたものです。[10]全米の四地域から無作為に抽出された1000以上の低所得世帯に関して、負の所得税を適用する世帯とそうでない世帯に分け、3年間にわたって各世帯のデータを調べました。その結果、負の所得税を導入しても、当該世帯の人たちの労働意欲は低下しませんでしたが、離婚率は増えた、という結果が得られました。実験を用いるアプローチによって、またしてもある政策の実際の効果が明らかとされたのです。

米国における実験ブームは、１９６０〜１９７０年代頃にピークを迎えます。この頃は公共政策学にとっても重要な時期でした。当時、一大流行していたのがＰＰＢＳ（Planning Programming Budgeting System：計画策定・プログラム作成・予算編成システム）と呼ばれる仕組みです。公共政策学の教科書では必ずと言っていいほど載っている重要なものなので、ここで簡単にその内容を見ておきましょう。[11]

ＰＰＢＳはＰＰＢ（計画策定［Planning］、プログラム作成［Programming］、予算編成［Budgeting］）というアプローチを予算編成の制度に導入することで、合理的なシステムを作ろうとする発想です。

計画策定では、組織の目的を明確に設定した上で、それを達成するために最も適したプログラムを選定します。この際、複数のプログラムを比較考慮することが求められます。プログラム作成は、計画策定において選定されたプログラムを実行するため、具体的にどういった活動が必要なのかを検討し、それを決定する営為を指します。予算編成は、このようにして作成されたプログラムに対して、予算的な裏付けを与える過程のことです。[12]

ＰＰＢＳの特徴や意義はいくつも挙げられますが、ポイントとしては、計画策定の際に、事前の分析やシミュレーションに力を入れつつ、優れた意思決定を支援しようとすることにあります。これは当時としては画期的な試みでしたが、米国では導入してから3年ほど経って廃止の憂き目にあいました。ＰＰＢＳが失敗した理由は多岐にわたると言われています[13]。主なものとしては、①政治家や国民の関心があまり高くなかったこと、②利害関係者たる省庁の抵抗が激しかったこと、③分析に必要なデータが足りなかったこと、④分析を行う人材が不足していたこと、などが挙げられます。ＰＰＢＳは、まさに「政策の合理化」の夢を追いかけた一つの大きなチャレンジであり、今日のＥＢＰＭと重なる部分も多くあります。これは重要な論点ですので、後にまた詳しく検討することとしましょう。

さて、ＲＣＴ全盛期とも言うべき時代を迎えていた米国ですが、ＰＰＢＳの挫折なども相まって、一時期は実験の熱が下火になります。しかし、１９８０年代から90年代にかけて、一部の政策分野でＲＣＴが再び盛んとなってきます。このように、米国では古くから政策の効果を、実験をはじめとした合理的な手法によって確かめ、それを推進しようとする風土があったと言えます。

こうした状況下で、力強くＥＢＰＭ推進を手掛けた人物が、２００９年に大統領に就任したバラク・オバマでした。オバマ政権下で特徴的なＥＢＰＭの取り組みの一つが、「階層付き補助金」（Tiered Grant）と呼ばれるものです。この制度は平たく言えば、エビデンスの頑強さごとに階層を設け、そのレベルに応じて補助金の額を変動させる仕組みです。ここでのエビデンスは基本的に、ＲＣＴを通じて創出されたものですが、政策によってはＲＣＴが難しかったり、不適切であったりすることもあります。このため、どういったエビデンスが重視されるかについては柔軟な対応がなされることもあるようです。このような取り組みを通じて、オバマ政権下ではＥＢＰＭの推進が一層、進展することとなりました。

これに対して、２０１７年に誕生したドナルド・トランプ政権は、ＥＢＰＭ推進には後ろ向きな姿勢をとっていたとされています。実際、トランプ大統領は気候変動問題について懐疑的な立場でしたし、新型コロナ感染症についても、科学的な知見を軽視した対策をとったことが指摘されています。しかし、実際には２０１９年にトランプ政権下でＥＢＰＭ推進を図るための様々な改革を盛り込んだ法律も成立しているなど、更なる展開も見られました。その後、ジョー・バイデン政権の誕生を経て、米国のＥＢＰＭはより深化していくと考えられます。

以上がＥＢＰＭの概要となります。英国でも米国でも、それぞれの国の事情に鑑（かんが）みた推進体制がとられ、それぞれ意義深い取り組みが展開されているということが理解できたと思います。

しかし、最初にも述べたように、政策を合理化していこうという取り組みは、何も最近になって始まったわけではありません。ＥＢＰＭが始まる以前から、ほとんどの先進民主国家では、政策評価の取り組みは存在していました。行政をよりよいものにし、政策を合理化していこうとする試みはたくさん積み重ねられてきていたわけです。

新しい制度を作ることは、白紙の上に新しい絵を描き込むようなものではありません。既存の似たような制度、取り組みがある上に、別の制度が作られるのです。したがって、新しい試みは常に、これまでの取り組みの影響を多かれ少なかれ受けるものです。日本においてもそれは同様です。このため、日本におけるＥＢＰＭの展開を見る前に、日本の政策評価の流れを押さえておかなければなりません。

第2章

日本における政策評価

日本における政策評価の二つの流れ

①　プログラム評価

日本における政策評価に関しては、その流れは複雑で、全てを網羅的に記載するのは困難です。よって、ここでは単純化の誹り（そし）りを恐れず、日本の政策評価には二つの流れがある、と言い切ってみて、その全体像を素描したいと思います。

第一の流れは、主として行政システムの研究に携わる、行政学者たちが中心となって導入を試みたものです。この流れにおいて重視されているのが「プログラム評価」です。「プログラム評価」もまた、分野によって考え方や力点が異なっているほか、様々な手法や考えを織り交ぜて行われるものですから、やや曖昧（あいまい）な面もあります。したがって、ここで紹介するプログラム評価の内容は、あくまでも主に行政学や公共政策学におけるものだということを断っておきましょう。

「プログラム評価」とは、ごく簡単に言えば、「社会科学の諸手法を動員して、ある社会的介入の効果を確かめる方法」です。[14]ここで言う「プログラム」とは、ある社会的な目標を達成するための取り組みや、それを支えるルールや組織体制などを指しています。[15]

プログラム評価は、大きく分けて「ニーズ評価」、「セオリー評価」、「プロセス評価」、「アウトカム評価」、「インパクト評価」に分けられます。それぞれ簡単に見ていきましょう。

「ニーズ評価」とは、「必要性評価」とも呼ばれるもので、あるプログラムが本当に社会にとって必要なものなのかどうかを評価します。たとえば、ある困難に直面している人たちがいたとして、その人たちがどのような助けを必要としているのか、困難の背景には何があるのか、といったことが調査され検討に付されます。

続いて「セオリー評価」は、「ニーズ評価」を経て必要と判断され、何が課題なのかが明らかとされた問題について、それを解決するプログラムのセオリーを評価します。「セオリー」とは、あるプログラムが想定している論理的な繋がりのことを指します。これが妥当かどうかを吟味するのがセオリー評価であるわけですが、その方法としては主に文献調査による、セオリーが想定している仮説の検証（演繹的アプローチ）と、関係者へのインタビューや参与観察による、セオリーの妥当性の吟味（帰納的アプローチ）があるとされています。

あるいは、ロジックモデルを用いた検討も一つの手段です。ロジックモデルとは、**図表2-1**のように、「インプット」から「インパクト」までを図式化したものです。たとえば、住

図表2-1：ロジックモデルの事例

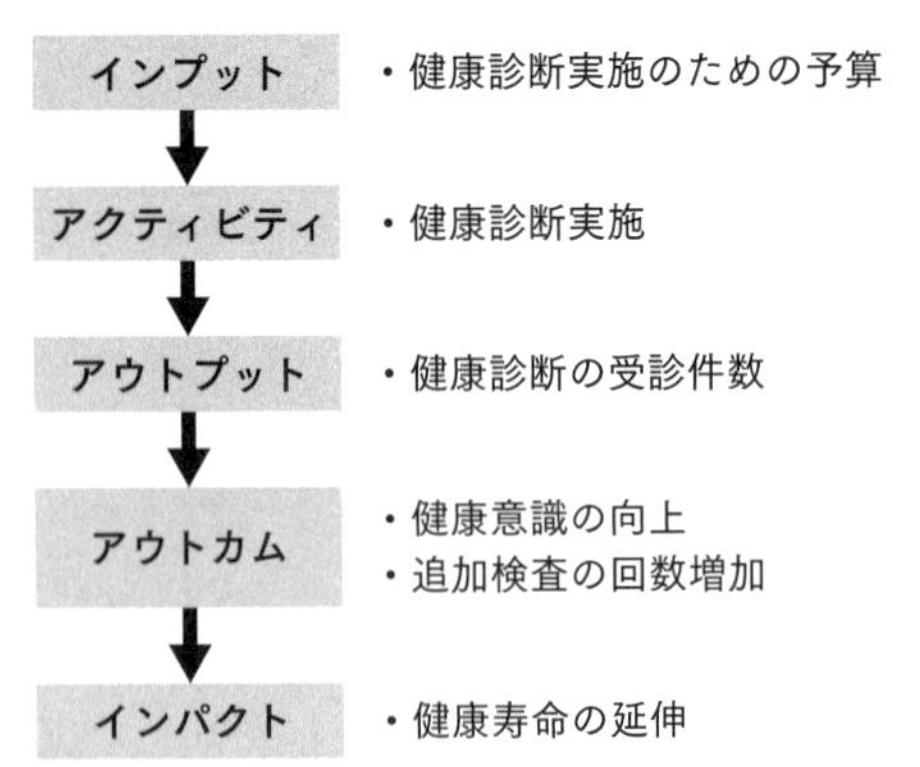

出典：筆者作成

民の健康増進のための健康診断を実施するというプログラムを想定してみましょう。

「インプット」とは投入される資源のことです。ここでは、健康診断を実施するための予算が該当します。「アクティビティ」とは、投入された資源をもとに行われる活動のことで、ここでは健康診断が挙げられます。「アウトプット」とは、そのアクティビティの結果を指します。「アウトカム」はそのアウトプットによって得られた成果を指し、「インパクト」はそれの中長期的な影響のことを言います。後で詳しく論じますが、ＥＢＰＭの名の下で、このロジックモデルの利活用を進めているのが日本です。

ロジックモデルは「こうすれば、こうな

る」という繫がりを可視化できるため、専門的な知識がなくとも、プログラムのセオリーを読み解くことができます。それゆえ、セオリー評価のツールとして広く用いられる傾向にあります。

こうした「セオリー評価」に続く「プロセス評価」では、プログラムがセオリー通りに動いているかどうかを検証します。意図した通りの体制が整えられているか、マネジメントは適切か、想定していた対象者にサービスが行き届いているか、といったことが評価の対象となります。

「アウトカム評価」はあるプログラムによってどういった成果が出たかを検証するものです。**図表２-１**で言うと、住民にアンケートを取るなどして、健康意識がどれだけ変わったかを把握すること等が挙げられるでしょう。

「インパクト評価」は、プログラムのインパクトを測定します。インパクトは長期的なアウトカムのことを指します。よって、ロジックモデルの種類によっては、アウトカムとインパクトが同じ枠で括(くく)られていることもあります。**図表２-１**で言うと、健康寿命の延伸といったものがあたるでしょう。

アウトカムやインパクトを厳密に測定するのは容易ではありません。というのも、たとえば健康診断プログラムのケースで言えば、健康意識の向上や、健康寿命の延伸が本当に健康診断のお陰かどうかを検証するには、先に述べたＲＣＴの手法が必要だからです。仮にいい影響があったとして、それが本当にそのプログラムのお陰かどうかは、それをやっていないグループと比較しなければ判断できません。政策の成果を精緻に検証するには、それだけ大掛かりな準備と緻密な研究が必要になるわけです。

以上の評価を行うのがプログラム評価ですが、それぞれの評価においては、高度な手法を用います。たとえば、「ニーズ評価」ではインタビューのような質的調査をはじめ、アンケート調査のような量的調査も行われます。「セオリー評価」も、ロジックモデルを作成して終わり、というわけでなく、その繋がりに無理がなく、妥当なものであるか、データに裏付けされているかなどが検討されます。「プロセス評価」も、厳密に実施しようとすれば、プログラムが実施されている現場に赴く必要がありますし、関係者へのアンケートやインタビュー、参与観察等を行わなければなりません。

行政学におけるプログラム評価概念は、米国の研究を通じて得られたと言われています。[16]
米国にはＧＡＯ（The Government Accounting Office、会計検査院。２００４年７月から、The Government Accountability Office に改名）という、連邦議会に附属している機関が

あります。[17] ＧＡＯは設立当初こそ会計監査機能が主でしたが、次第に政策評価の役割を担うようになりました。そのＧＡＯが行っていたのがプログラム評価です。ＧＡＯが評価を担当し始めたのが１９６０年頃のことで、一部の行政学者たちは、米国の評価の営みを知った上で、日本でも政策を評価する仕組みが必要だと考えたわけです。[18]

②　業績管理／業績測定

日本における政策評価の二つ目の流れは、民間企業で用いられている業績管理(Performance Management)をはじめとした、経営的な視点に基づいたものです。この考えの源流も複雑なものがあるのですが、ここでもまた思い切って、特に有名な二つに絞って見ていくこととしましょう。一つは英国のサッチャー政権において導入されていた、ＮＰＭ(New Public Management、新公共経営)、もう一つは米国の「行政革命」の論調です。

ＮＰＭとは、「新公共経営」と訳される、公共セクター改革の方針のことを指します。ＮＰＭと一口に言ってもその内実は雑多と言ってもよく、何か体系的な理論や指針があるわけではありません。ＮＰＭは先に理論があって、そこから実践や行動指針が導出されるというものではないからです。よって、ここでは最大公約数的な定義にとどめて説明してみたいと思います。[19]

NPMの眼目の一つが、政府や自治体といった公共セクターにも民間企業的な発想を持ち込み、そのマネジメントを改善することにあります。NPMは英国が発祥の地とされていますが、当時の英国は、ストライキの頻発や麻薬常習者の増加といった、深刻な社会問題に加え、経済成長の鈍化という大きな課題に直面していました。こうした事態を踏まえ、救世主として登場したのがNPMです。

英国が抱えていた課題は多岐にわたっていたのですが、わけても深刻なのが行政の非効率性だったと言われています。多くの公共セクターでは赤字が深刻化しており、市民の不満も高まっていました。そうした状況下で、たとえば民営化や外部委託といった手法で、民間セクターを利用し、行政を効率化することが図られました。

また、公務員の人事評価等についても、民間企業で用いられていた「業績管理」の手法が導入されました。「業績管理」とはその名の通り、個々人や組織、部署の業績＝パフォーマンスにしたがってマネジメントを行うことを指します。その際に用いられる手法が、「業績測定」(Performance Measurement）です。これは、様々な目標を数値化して測る手法を指します。どれだけの資源を投入し、どれだけの成果があがったのかを測り、プログラムの実態を可視化します。これを通じて人事評価や政策の継続の是非などを決めるのが業績管理です。

業績管理の背景にあった考えの一つが、ＶＦＭ（Value for Money）です。ＶＦＭとは「支出に見合う価値」と訳される考えで、行政を企業、市民を顧客という風にパラフレーズしたことによって出てきたものでした。この表現に沿えば、市民は税金という料金を払っている「客」です。「客」に対して「企業」は料金の分だけのサービスを提供しなければなりません。果たして、払った料金（税金）に見合うサービスを行政は提供できているのか、できていないとすれば、それは問題だ、というのがＶＦＭの論理です。ＮＰＭはこのように、民間企業の発想や営みを公共セクターに持ち込むことによって、行政の効率化を図る企てと言ってよいでしょう。

このＮＰＭと似た発想に彩られているのが、米国発のいわゆる、「行政革命」です。これは、コンサルタントのデビッド・オズボーンとテッド・ゲーブラーによる著作、『行政革命』がもととなった潮流です。本書の原題はReinventing Government（政府の再発明）で、「行政革命」とは日本語版にだけつけられた名前でした。ですが、この「引きがある」邦題が受けたのか、同書はベストセラーとなり、多くの行政職員に読まれ、日本の行政改革に大きな影響を与えたと言われています。[20]

『行政革命』は、なかなかボリュームのある本なのですが、その内容は決して難しくありません。むしろ、その分かりやすさと力強いメッセージがあったからこそ、日米で多くの読者を得たのでしょう。そのメッセージは十の項目に集約されます[21]（図表2－2）。

『行政革命』の中には、「NPM」という言葉は出てきません。ですが、その方針はNPMと極めて似通っています。とりわけ、③、④、⑤、⑥、⑦、⑨、⑩は、NPMの教義と同じ内容であり、『行政革命』においても、市場メカニズムの活用ならびに、そこで培われてきた様々な知恵やノウハウを行政に応用する企図を読み取ることができます。

民営化路線の強調、効率化重視の改革指針、市民を「顧客」と見立てる一連の発想はしばしば、「新自由主義」的な方針として一括りにされることがあります。日本における、いわゆる「新自由主義」は1980年代の、中曽根康弘政権において始まったものと説明されることが多いのですが、その背景には、経済学者、フリードリヒ・ハイエクの影響や公共選択論（経済学の分析枠組みを市場以外の組織に当てはめて論じる学問）があったと言われています。[22] これに対して、NPMをテコにした行政改革は、橋本龍太郎政権のもとで展開された「橋本行革」（1996年～）において力をもつようになったと言われているほか、「民でで

図表2-2：「行政革命」のエッセンス

①触媒としての行政	「舵取り」（方向性を決める）と「漕ぐこと」（サービスの提供）で、政府が主として担うべきは前者である。
②地域社会が所有する行政	サービスの提供ではなく市民に権限や財源を移譲し、自主的に管理・運営してもらう。
③競争する行政	行政はサービスを独占すべきではなく、行政同士や民間とのあいだで競争してサービスをよくすべきである。
④使命重視の行政	規則や手続きではなく、課せられた使命や目標を重視した行政の方が望ましい。
⑤成果重視の行政	政策の結果得られた成果を測定し、それに基づいた人事評価や組織マネジメントに注力する。
⑥顧客重視の行政	競争を前提に市民のニーズに沿った行政サービスの提供を目指す。
⑦企業化する行政	起業的な精神を公務員が身につけ、公共セクターであっても利益を追求する。
⑧先を見通す行政	後手に回るのではなく、正確な予測を打ち立てて、それに基づいて政策を作る。
⑨分権化する行政	ハイアラーキーな組織ではなく、フラットな組織を目指し、チームワークや参加を重視する。
⑩市場志向の行政	計画主義的な規則、規制ありきの行政ではなく、市場をベースにした行政運営を心掛ける。

出典：オズボーン・ケプラー（1995）より筆者作成。

きることは民で」のようなスローガンが日本で流行し政治的な覇権を獲得したのは、小泉政権下（2001年～2006年）のことです。したがって、いわゆる「新自由主義」の流行と一口に言っても、時期や力点に違いがあることに注意が必要です。

いずれにしても、ここにおいて、精緻な評価を掲げる路線（プログラム評価の重視）と、NPM及び『行政革命』が標榜する路線との二つが並び立つこととなりました。これら二つは必ずしも対立するものではなく、相補的な関係にあるのですが、日本の政策評価では後者、つまりNPMや『行政革命』の路線が主流となっていきました。これにはいくつかの理由が考えられますが、大きなものの一つが、労力の問題だと考えられています。

プログラム評価は、プログラムを多角的な視点から緻密に検証することによって、正確な評価を可能とします。ただし、これらを実施するには膨大なリソースが必要ですし、時間もかかります。これに対して、業績測定を中心にした業績管理は導入が比較的容易く、多くの現場で実装されることとなりました。プログラム評価を全面的に実施することは、行政のリソースを考えても現実的ではありませんでしたし、実際、米国や英国においても、全ての政策においてプログラム評価が実施されているわけではありません。

ですので、日本における政策評価のこうした流れは、ある種必然的なものでもありました。

ですがこうした経緯は、日本の政策評価の姿に大きな影響を及ぼすこととなります。以下では、日本の政策評価の歴史を見ていきましょう。

日本における政策評価の実践

日本の政策評価は自治体から始まったと言われており、中でも三重県は先進的な自治体として知られています。1995年4月に三重県知事に就任した北川正恭(まさやす)氏は、当時大きなテーマの一つであった地方分権改革の流れに乗りつつ、行政改革の推進を掲げます。当時の三重県の行革運動は「さわやか運動」と呼ばれました。「さわやか」とは、「サービス」、「わかりやすさ」、「やる気」、「改革」、の頭文字をそれぞれとったものです。

この運動の内実は多岐にわたりますが、目玉の一つが「事務事業評価」と呼ばれるものです。これを説明するには、まず「事務事業」について理解する必要があります。「政策体系」と呼ばれる**図表2-3**をもとに解説しましょう。

まず全体の方針や目的を定める「政策」が一番上にあります。続いて、その下には「施策」と呼ばれる、方針や目的を実現するための具体的な方策があります。それらを達成する

図表2-3：政策体系のイメージ

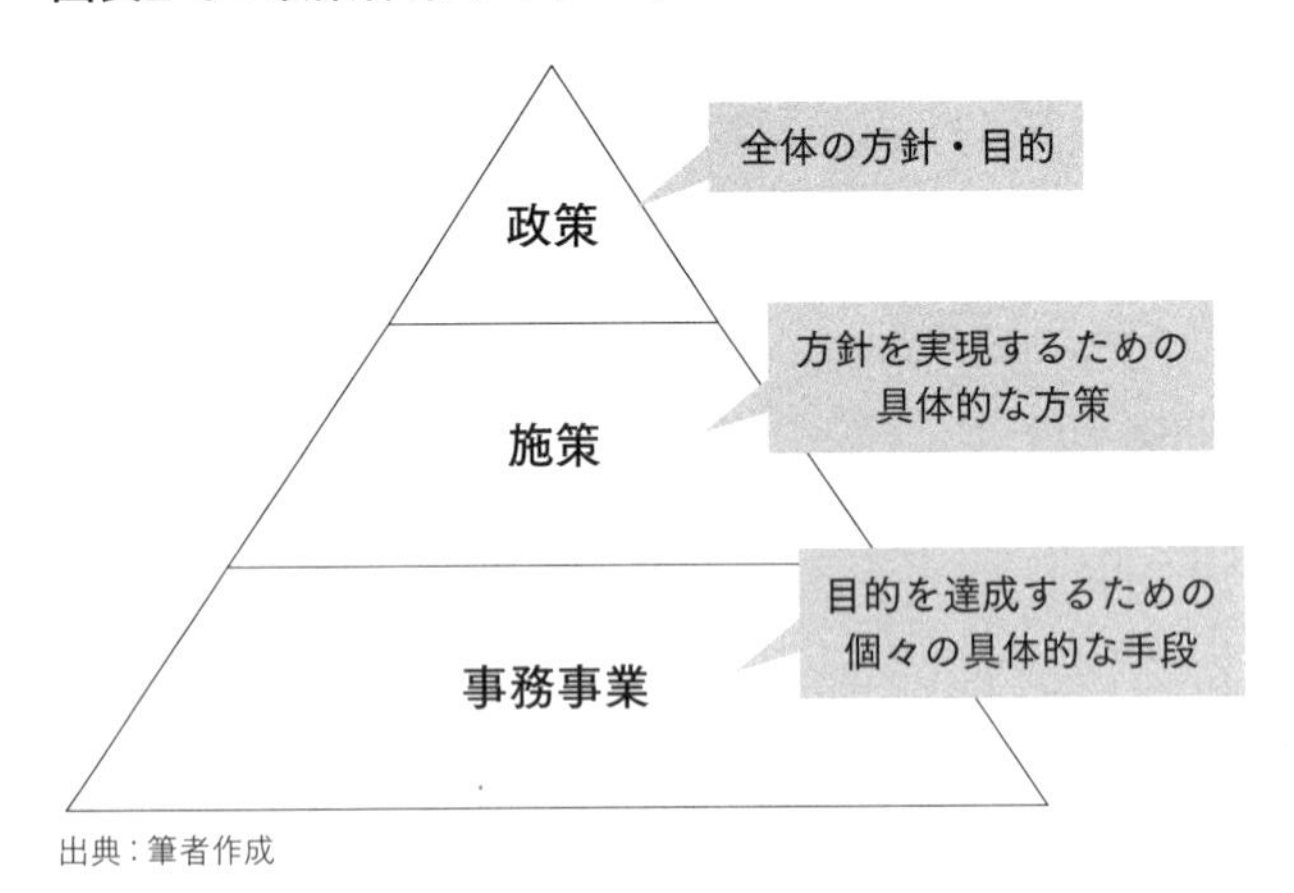

出典：筆者作成

さらに具体的な行政手段が事務事業と呼ばれるものです。

具体例を出した方が分かりやすいでしょう。[23]たとえば、「健康に資するまちづくり」という「政策」があったとします。この政策に関連付けられる「施策」としては、「住民の健康増進」が挙げられます。あるいは、都市環境もまた健康と無関係ではありません。そこで、「自然豊かな都市整備」といったものが考えられます。これに対する「事務事業」は、「健康増進」ならば、「健康診断の実施」「生活相談会の開催」といったものになるでしょう。また、「自然豊かな都市整備」に対しては、「緑地公園の開発」、「街路樹の整備・維持」といった事務事業が考えられます。これ

図表2-4：「健康に資するまちづくり」の政策体系

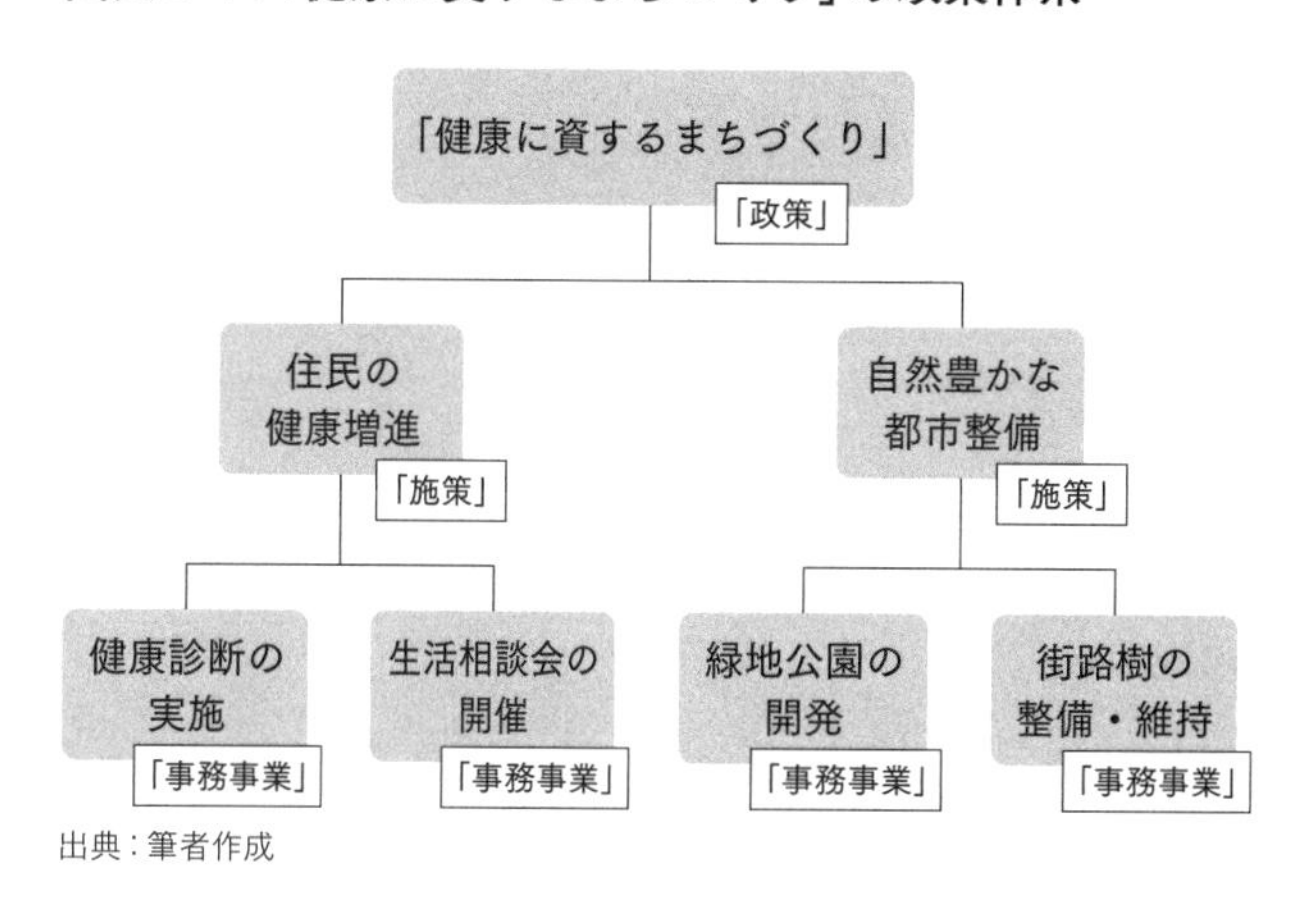

出典：筆者作成

を表したのが**図表２－４**です。

このように「政策体系」とは、上に位置する抽象的な「政策」に対して、その目的に達するための具体的な取り組みが紐づけられた構造となっています。したがって、「事務事業評価」とは、**図表２－４**における一番下の具体策を評価するものとなります。

では事務事業評価は、どのような仕組みで行われるのでしょうか。これもまた実例を見た方が分かりやすいと思いますので、図に沿って説明します。[24] 次ページから掲載した四枚の画像（**図表２－５**）は、平成26年度（２０１４年度）に岩手県盛岡市で実施された「健康教育事業」に関する事務事業評価シートです。自治体ごとによって微妙な違いはありま

図表2-5：事務事業評価シートの実例

事務事業評価シート

（平成 26 年度実施事業）

<table>
<tr><td>事務事業名</td><td colspan="4">健康教育事業</td><td>事業コード</td><td>1861</td></tr>
<tr><td>所属コード</td><td>153000</td><td>課等名</td><td colspan="2">健康福祉課</td><td>係名</td><td>健康推進グループ</td></tr>
<tr><td>課長名</td><td colspan="2"></td><td>担当者名</td><td></td><td>内線番号</td><td>4400-143</td></tr>
<tr><td>評価分類</td><td colspan="6">■ 一般　□ 公の施設　□ 大規模公共事業　□ 補助金　□ 内部管理</td></tr>
</table>

1　事務事業の基本情報・・・・・・・・・・・・・・・・・・・・・・・・・・・・

(1) 概要

<table>
<tr><td rowspan="3">総合計画
体系（旧）</td><td>施策の柱</td><td colspan="2">いきいきとして安心できる暮らし</td><td>コード</td><td>1</td></tr>
<tr><td>施策</td><td colspan="2">健やかに暮らせる健康づくりの推進</td><td>コード</td><td>1</td></tr>
<tr><td>基本事業</td><td colspan="2">健康の保持増進</td><td>コード</td><td>1</td></tr>
<tr><td colspan="2">予算費目名(H26)</td><td colspan="4">一般会計 04 款 01 項 02 目 健康教育事業（003-01）</td></tr>
<tr><td colspan="2">特記事項(H26)</td><td colspan="4">総合計画主要事業</td></tr>
<tr><td colspan="2">事業期間</td><td>□単年度　■単年度繰返　□期間限定複数年度</td><td>開始
年度</td><td colspan="2">昭和
57 年度</td></tr>
<tr><td colspan="2">根拠法令等(H26)</td><td colspan="4">健康増進法第１７条第１項に基づく健康増進事業，健康日本 21，地域支援事業実施要綱</td></tr>
</table>

(2) 事務事業の概要

生活習慣病や介護予防，その他の健康づくりに関する正しい知識の普及を図るとともに，適正な指導や支援を行うことにより，「自分の健康は自分で守る」という認識と自覚を高め，健康の保持増進に資する。

(3) この事務事業を開始したきっかけ（いつ頃どんな経緯で開始されたのか）

昭和 57 年「老人保健法」に基づき事業を開始した。平成 20 年には「健康増進法」に位置づけられた。平成 18 年度からは，65 歳以上は介護保険法に基づく地域支援事業の位置づけとなった。

(4) 事務事業を取り巻く現在の状況はどうか。(3)からどう変化したか。

平均寿命が伸びる中，人口の少子化とともにがんや循環器病，糖尿病などの生活習慣病が増えており，死因の約 6 割は，生活習慣病である。これらの生活習慣病は，個人の生活の質を低下させ，寝たきりや認知症の要因になるだけでなく，医療や介護にかかる費用を増大させる要因にもなるため社会全体に大きな負担をもたらす。健康寿命の延伸や早世の減少・医療費の削減，介護予防のためには生活習慣病の予防対策は不可欠であり，国の施策事業の重要な事業の 1 つとなっている。

2　事務事業の実施状況（Do）・・・・・・・・・・・・・・・・・・・・・・・・・・・・・

(1) 対象（誰が，何が対象か）

市内居住の40歳以上の市民。（区民）

(2) 対象指標（対象の大きさを示す指標）

指標項目	単位	23年度 実績	24年度 実績	25年度 実績	26年度 見込み	26年度 実績
A 40歳以上の区民	人	8,163	8,158	8,113	8,113	8,138
B						
C						

(3) 26年度に実施した主な活動・手順

保健師，栄養士，歯科衛生士，運動講師等が玉山総合福祉センターや地区公民館等で講話・調理実習・運動実技を取り入れた健康教育を実施した。

◇内容：世代によって健康課題が異なることから青年期・壮年期・高齢期向けにコースを設定し実施。

青年期，壮年期は生活習慣病予防，運動習慣のきっかけとなる運動及びウォーキングの普及，高　齢期はロコモティブシンドローム（運動器症候群）予防の内容で実施。

◇周知：地区回覧及び個人通知

(4) 活動指標（事務事業の活動量を示す指標）

指標項目	単位	23年度 実績	24年度 実績	25年度 実績	26年度 目標値	26年度 実績
A 健康教育実施回数	回	162	160	139	160	181
B 健康教育参加者数	人	2,071	1,955	1,813	2,000	2,497
C						

(5) 意図（対象をどのように変えるのか）

参加者が健康づくりについての知識を得ることによって「自分の健康は自分で守る」という意識を持ち，生活習慣病予防の具体的な取り組みを日常生活の中に取り入れて実践できる。

(6) 成果指標（意図の達成度を示す指標）

指標項目	性格	単位	23年度 実績	24年度 実績	25年度 実績	26年度 目標値	26年度 実績
A 生活改善の方法が理解できた人の割合	■上げる □下げる □維持	%	68.7	68.7	90.5	92.0	88.3
B	□上げる □下げる □維持						

(7) 事業費

項目	財源内訳	単位	23年度実績	24年度実績	25年度実績	26年度計画	26年度実績
事業費	①国	千円	0	0	0		
	②県	千円	0	0	0		
	③地方債	千円	0	0	0		
	④一般財源	千円	1,232	1,222	1,221	642	632
	⑤その他( )	千円	0	0	0		
	A 小計 ①～⑤	千円	1,232	1,222	1,221	642	632
人件費	⑥延べ業務時間数	時間	1,783	1,760	1,584	1,584	1,906
	B 職員人件費 ⑥×4,000円	千円	7,132	7,040	6,336	6,336	7,624
計	トータルコスト A+B	千円	8,364	8,262	7,557	6,978	8,256
備考							

3 事務事業の評価（See）・・・・・・・・・・・・・・・・・・・・・・・・・・

(1) 必要性評価（評価区分が「内部管理」の事務事業は記入不要）

① 施策体系との整合性

結びついている。

生活習慣病の発症を予防し，健康づくりを支援する活動は健康の保持増進に結びつく。

② 市の関与の妥当性

妥当である。

法的事務である。

③ 対象の妥当性

現状で妥当である。

法的事務である。

④ 廃止・休止の影響

影響がある。

法令に基づく事業であり，廃止,休止することはできない。

(2) 有効性評価（成果の向上余地）

向上余地がある。

対象のニーズにあった内容を検討して，実践していく。また，関係機関と連携しながら健康づくり活動を推進していき，成果の向上に努めていく。

(3) 公平性評価（評価区分が「内部管理」の事務事業は記入不要）

事業は，全地区回覧や各出張所にチラシを設置するなどは広く区民への周知をしており，公平，公正である。

(4) 効率性評価

削減できない。

健康相談の同時開催などの工夫を行い，事業推進のために最低限の必要な経費であり，これ以上削減は難しい。

4　事務事業の改革案（Plan）・・・・・・・・・・・・・・・・・・・・・・・・・

(1) 概要（新しい総合計画体系における位置付け）

総合計画体系（新）	施策（方針）	健康づくり・医療の充実	コード	4
	小施策（推進項目）	健康の保持増進	コード	4-1

(2) 改革改善の方向性

各世代が多く参加できるようにアンケート結果を活かしながら地域の実状を把握し，企画・実施する。また，各関係組織団体や健康推進課等と連携し，事業の統一性，効率的に実施していく。

(3) 改革改善に向けて想定される問題点及びその克服方法

参加者の固定化はあるが，アンケート結果等で参加者の関心のあるものを探り，教室プログラムに取り入れていく必要がある。また，65歳未満の参加が少ないことから，保健推進員や食生活改善推進員に加え，地域団体を巻き込んだアプローチが必要である。

5　課長意見・・・・・・・・・・・・・・・・・・・・・・・・・・・・・・・

(1) 今後の方向性

■　現状維持（従来どおりで特に改革改善をしない）
□　改革改善を行う（事業の統廃合・連携を含む）
□　終了・廃止・休止

(2) 全体総括・今後の改革改善の内容

健康増進法に基づき，生活習慣病予防や介護予防，健康づくりの指導と支援を行うことにより，「自分の健康は自分で守る」という自覚を高める必要があり，特に壮年期からの健康保持増進が重要である。

すが、事務事業評価の多くは、このようなシートに基づいて実施されており、内容的にも大きな違いはありません。[25]

事務事業評価は、評価シートの画像にあるように、当該事業において、どの程度の資源が投入されたのか、実績としてどのようなアクティビティ、アウトカムがあったのかといったことを踏まえ、改善の余地があるか否か、場合によっては廃止の必要があるか、といったことを評価するものです。評価シートで言うと、健康づくりのために適切な支援や情報提供を行う事業について、現状の実施内容や、その課題についてといった論点が記されています。

では、事務事業評価は、どのような特徴を備えた営為なのでしょうか。[26] 多くの特徴を有する事務事業評価ですが、ここでは代表的なものを三つ取り上げましょう。

第一に、事務事業評価は基本的に事後評価で行われます。たとえば、先に述べたPPBSは事前にシミュレーションを徹底的に行います。あるいは、高速道路やダムといった大規模公共事業で行われているアセスメントも事前評価にあたります。これに対して事務事業評価は、既に行われた事業を検討するので、事後評価に該当します。

第二に、事務事業評価は基本的に内部評価で行われます（反対は「外部評価」）。事務事業評価シートも、原則として行政職員が作成します。自分で自分の担当している事務事業を評価しますから、内部評価は客観性を欠いたものになりがちだと言われています。私の勤務している大学でも、年度ごとに人事評価が行われますが、基本的に自己評価のため、客観的な評定ができているとは言い難い面があります。もちろん、客観的な指標はキチンと用意されていますし、提出した評価結果が妥当か否かについて、第三者による検討も加えられますが、内部評価が限界を有していることには変わりはありません。

第三に、事務事業評価は基本的に全数評価で行われます。全数評価とは、全ての事務事業を同一の手法で評価するアプローチを指します（反対は「重点評価」）[27]。このアプローチは、多数のデータの網羅が可能なうえ、同じ様式＝事務事業評価シートに沿って評価を行うため、情報を入手する側としても分かりやすいといったメリットがあります。しかし、全ての事務事業を対象に行うため、チェックは広く浅くならざるを得ません。また、画一的なフォーマットで多くの事業を評価するので、事業ごとの特性を踏まえた評価にならないことがあります。加えて、プログラム評価ほどに専門性を必要としないとは言え、数が多いので評価にかかる活動量は膨大なものです。このため、現場が抱く負担感も大きくなりがちといった点も問題として挙げられます。

このような特徴を備えた事務事業評価は、三重県において導入され、大規模な予算カットに成功したと話題を呼びました。当時、三重県知事で改革を主導した北川氏は、事務事業評価の仕組みを導入したねらいについて、アウトカム指標を設定することによって、成果を意識した行政運営を根付かせることにあったと振り返っています。[28]

これらの情報を整理すると、事務事業評価は「二つの流れ」で言うところの「業績管理／業績測定」型の取り組みと見なせそうです。ただし、事務事業評価の中には、事業のセオリーやプロセスの検証を行っているものもあります。図で挙げている事務事業評価シートにも、必要性についての検討や、施策との整合性といった、業績測定では取り扱わないものも扱われていることが分かります。よって、事務事業評価は、業績測定的なアプローチを中心に据えつつも、プログラム評価を簡易的に実施する取り組みだと言うこともできます。[29] やや複雑ですが、要するに事務事業評価を単なる業績測定だ、と言い切るのには慎重になった方がよさそうです。

厳密に言うと微妙なところもありますが、ひとまず、自治体における評価は、「業績管理／業績測定」型に比重をおいた取り組みが主流となったということを、ここでは確認しておきましょう。こうした流れは、国の政策評価の実践にも影響を及ぼし、日本の政策評価の文化は、国・自治体双方ともに「業績管理／業績測定」型が優位となったわけです。

既に説明したように、このような経緯を辿った理由の一つが手間やコスト、専門性です。プログラム評価を全ての自治体に実装するのは、やはり現実的ではなかったわけです。とは言え、「業績管理／業績測定」が優位になった理由は、こうした消極的なものばかりではありません。そこには大きな理論的支柱とでも言うべき存在がありました。以下では、極めて大きな影響力を誇った論者の一人である、上山信一氏の議論を踏まえ、日本における政策評価のありようを探っていきたいと思います。

「行政経営」という発想

上山氏は京都大学法学部を卒業後、運輸省に入省し、プリンストン大学でPublic Management（公共経営）を学びます。運輸省を辞めた後に、経営コンサルタント会社として名高いマッキンゼー・アンド・カンパニーに入社します。マッキンゼー退社後は、ジョージタウン大学や慶應義塾大学の教授職を歴任し、大阪市の特別顧問を務めるなど、精力的な活動を続けています。

マッキンゼーに在職中だった１９９８年に出版した『「行政評価」の時代：経営と顧客の

視点から』で、上山氏は大きな注目を集めます。[30] 同書は多くの関係者に読まれた本として知られており、当時の議論の趨勢を語るには欠かせない一冊です。その内容は『行政革命』同様、米国の先進的な実例の紹介を多数盛り込み、新しい政府や自治体の在り方を展望するといったものでした。当時の行政の在り方がまさに変わろうとしている時代を活写した同書の中で上山氏は、日本でも米国のように「行政評価」を政府や自治体で取り入れるべきだと主張しています。[31]

ここで不思議に思われた方もいるかもしれません。ここまで本書が用いてきたのは「政策評価」という言葉でした。これに対して、上山氏が用いているのは「行政評価」です。彼はその後の著作でも一貫して「行政評価」こそが重要であるとの考えから表題に用い続けています。[32] 「政策評価」と「行政評価」は何が違うのでしょうか。

上山氏の用法を確認してみましょう。上山氏は著書の中で、「行政評価には二つのタイプがある。一つは政策評価であり、もう一つは執行評価である」と述べ、「政策評価」の概念を「行政評価」の下位に位置づけています。[33] そして、「政策評価」を「まず住民を顧客と見立てて、顧客の行政への期待成果を具体項目にリストアップする。そして、それぞれの項目について現状分析をしたうえで、今後めざすべき数値目標を設定する。目標の達成度を毎期ごとにチェックし、その結果を公開し、官民双方が進捗状況を監視していく」プロセスとして描出します。[34] これに対して「執行評価」は、「ごみ収集、水道、道路メンテナンスなどのサービス行政について、活動単位あたりの効率を測り、改善活動を動機づけしていく手法である。これは、民間企業が導入している手法と同じである」と定義されます。[35] 上山氏は、これら二つのタイプの評価について、「政策評価」は大規模な自治体や国レベルで有効であり、「執行評価」は小規模な自治体や小さな単位の行政サービス等で役に立つと整理しています。

この定義は、行政評価を、政策評価を包含する、より幅の広い営為として位置づけるものです。上山氏の定義は、実務ならびに学術の知見に基づいたものでしたが、こうした厳密な意味合いは守られることなく、波及していくにつれて独自の用法が自治体ごとに定着するなど、いささか混沌としていきます。日本における評価研究の第一人者である山谷清志氏は、このことを「概念の曖昧さの中にいろいろな解釈の逃げ道を作るという意味で、すぐれて日本的な用法である」と指摘しました。[36] 各アクターが評価の概念や意味を独自に解釈し、融通無碍に用いてきたわけです。山谷氏の指摘通り、今日の自治体で用いられている「行政評価」とは、政策評価の解釈の幅を更に広げ、元来は評価の営為に含まれないマネジメント等も含めた概念として独自の「進化」を遂げています。更に、そうした用語の子細な内実もまた、自治体や省庁によって様々で、外から見ると分かりにくくなっているのが現状です。

このような経緯を踏まえつつ、上山氏が掲げた「評価」の内実を改めて振り返ると、それがNPMの影響を色濃く受けたものであることが分かります。先に挙げた『「行政評価」の時代：経営と顧客の視点から』の副題にもあるように、行政にも経営的な視点を導入しようという方針が重視されています。この発想は、まさにNPMの根幹を成すもので、上山氏はこの意味で日本におけるNPMの伝道師と言ってもよい存在です。

それから一年後となる1999年に上山氏が手掛けた著作が、『「行政経営」の時代：評価から実践へ』です。[37] 前作より一層強く、NPMを日本に導入せんと試みたマニフェスト的な本で、その英題もズバリ *New Public Management in Japan* となっています。

『「行政経営」の時代』は、米国におけるNPM的な改革の成功事例に始まり、企業経営の手法の優れた点の紹介、競争原理や顧客志向といった要素を行政に組み込むためのアイデアの提示、といった内容になっています。上山氏は同書の中で、前著にもあった「経営」や「顧客」といった視点を行政にも導入することを更に強く提唱します。そのツールとして提示されているのが、マネジメント改革を含んだ「行政改革」に他なりません。

同書のもう一つの特徴は、改革を通じた、「住民参画による行政経営」という理念です。[38]

上山氏は同書の中で、「ＰＩＰＩ活動」という用語を提示していますが、これは、住民が主体的にコミュニティ経営のイニシアティブをとる（Public Initiative）ことと、行政の意思決定やサービス提供への住民参画（Public Involvement）を組み合わせたもので、利用者（市民）のニーズに沿った事業を進めるための調査をベースにしつつ、現場レベルでの業務改善を進める営為全般を指しています。[39] 重視されているのは、現場の職員が住民ニーズを丁寧に汲み取り、それに応じてサービスの在り方を臨機応変に変えるプロセスです。同書の中で十分に例証されているとは言い難い面もありますが、住民を計画策定の段階等から巻き込んでいくという構想は、今日のまちづくり政策でしばしば取り上げられる、「協働」と呼ばれる取り組みと似通っている面があります。ここにおいて大事なのは、住民のニーズを行政が把握するとともに、住民自身も行政運営に積極的に関与してアイデアを出し合うという点です。これは、米国における『行政革命』でも強調されていたことでした。

　このように、ＮＰＭを中心とした行政改革論には、市民を「顧客」と見立てて、そのニーズに対応した行政を目指すという市場メカニズムを敷衍した構想と、市民をエンパワメントし、一緒に地域をよりよくしていく、という二つのベクトルがありました。両者はＮＰＭに関する多くの著作では矛盾なく同居しているのですが、よくよく考えてみると、厄介な問題を抱えていることが分かります。[40]

顧客たる市民が企業たる行政に対して、「こういうサービスをしてほしい」などと要望することはありうるとしても、自分たちも汗をかいて、一緒に地域をよくしていこう、という発想は生まれるでしょうか？　顧客精神からは、「お金を払っているんだから、いいようにやってくれ」という発想しか生まれない可能性もあります。この点は、先に挙げたＶＦＭ（Value for Money）の発想とも関連しています。上山氏の著作、『「行政経営」の時代』の帯には、「税とサービスのバリュー・フォー・マネー」と記されているほか、書籍内においてもＶＦＭがキーワードとして頻出しており、重視されている発想だと分かります。

先にも説明した通り、ＶＦＭは、税金を払っているのだから、その対価に見合うだけの価値、すなわち行政サービスを受け取る権利が私たちにはある、という考え方です。これ自体は極めて真っ当に聞こえますが、いくつか落とし穴があります。ここでは、行政学者の真渕勝氏の指摘に沿って見てみましょう。[41]

第一に、「一貫性の欠如」です。ＶＦＭは、払ったお金に見合ったサービスを要求するものですが、逆に「これだけのサービスを求めるならそれに見合う税金を払ってくださいね」という議論も可能だというのが真渕氏の指摘です。ただ、こうした発想ではたとえば生活保護をはじめとした福祉的なサービスは正当化されませんし、ましてやＶＦＭを強調していた上山氏のテキストの中には、増税を許容するような議論は全く出てきません。つまり、ＶＦＭの発想の背景には、市民の側はサービスに反して税金を払いすぎている、という暗黙の前提があるわけです。しかし、質の高いサービスを受けるためにはそれなりの代価が必要なのは当たり前の話であり、この点をＶＦＭの発想は覆い隠してしまうのです。もちろん、税金の無駄遣いをはじめとした問題はあるのですが、少なくともＶＦＭがこうした「対になる主張」を隠蔽ないし、軽視したことは事実だと言えます。

第二に、「公共性の欠如」です。真渕氏はＶＦＭを、「元を取りたい」という気持ちを言語化したもの、と端的に表現します。学生たちと飲みに街に繰り出すとき、私のゼミ生たちはよく食べてよく飲むので、飲み放題や食べ放題を設定します。そうすると、私自身も「元をとろう」と、ついつい飲み過ぎて食べ過ぎてしまいます。こういう経験は多くの人にあるのではないでしょうか。せっかくお金を払ったのだから、その分だけサービスを受けておきたい、と人は思うものです（私が特段、お金にがめつくてケチだという事実もあわせて明記しておきましょう）。真渕氏は、こうした発想を公共的な空間で露骨に奨励することは、市民社会の存続を脅かしかねないと警鐘を鳴らします。というのも、この発想にしたがえば、多額の税金を納めている富裕層こそが、多くのサービスを受ける権利があるはずで、行政サービスに差をつけることが正当化されるからです。そう主張する人はほとんどいないですし、受け入れられないでしょう。ＶＦＭは、こうした公共政策にとって望ましくない主張への抑制を取り払ってしまうのではないか、という懸念を惹起するものなのです。

　いずれも、ＶＦＭの称揚が見落としていた点を明らかにしており、重要な指摘です。行政を企業に見立て、経営的な視点を導入しようとする企ては、一定の成果もあったとは言え、思わぬ副作用を生んだ可能性もあると言えるでしょう。

　ところで、上山氏が『「行政経営」の時代』を出版した１９９９年当時、三重県で導入されていた事務事業評価は多くの自治体で取り組まれていました。しかし、上山氏はそうした現状に必ずしも満足いっていなかったようです。すなわち、「むしろこれ（筆者注：事務事業評価）は現場改善活動であり、それが組織の運営改革にも一部発展したものと見ている。制度の変更にどう活かされるかは、むしろこれからの課題ではないか。現場で実際に行われていることや、組織の動き方への洞察もなく、フォーマット（紙きれ）だけを見て、これを制度として評価すると、その本質を見失うだろう」との警鐘が鳴らされていたのでした。[42]後に見るように、事務事業評価は一定の成果をあげたものの、形骸化の道を辿りつつあります。

上山氏の著述は、その未来を見透かしていたかのようにも読めます。三重県に倣って事務事業評価を導入した自治体は多かったものの、それに付随するダイナミズムや制度変革など、全てをまるっきり真似るのは難しかったということでしょう。

日本における政策評価の帰結

ここまでで、私たちは日本における政策評価の取り組みをざっと見てきました。以下、改めてその内容を簡単に見てみましょう。

まず、政策評価には、極めて単純化すれば、二つの流れがあることを確認しました。精緻なプログラム評価を主眼とするものと、業績管理／業績測定を主としたものです。日本の場合、諸般の事情によって主流となっていったのは後者でした。

後者も単純なものではなく、様々な理論を含んで多様な展開を見せましたが、その大きな柱の一つがＮＰＭでした。ＮＰＭそのものも定義が難しいものですが、とりわけ日本においては、民間企業に学んで行政のマネジメントを効率化し、更には市民社会の公共性をも強化せんとする野心的な企てであったと言うことができます。

では、その帰結として何がもたらされたのでしょうか。

まず指摘できるのが、政策評価の法制化です。２００２年に施行された「行政機関が行う政策の評価に関する法律」は、文字通り省庁をはじめとした国の行政機関が行う政策評価について定めたもので、①国民に対する説明責任（アカウンタビリティ）を徹底すること、②国民本位の効率的で質の高い行政を実現すること、③国民的視点に立った成果重視の行政への転換、の三つが主たる目的として掲げられました。[43] 内容としては、評価に関する基本計画の策定をはじめ、事前・事後評価の実施計画及び評価書の作成、更には総務省が行う政策評価についても規定されています。[44] 当時としてはもちろん画期的な法律だったわけですが、詳細な評価手法について定めがあるわけではありません。

ここで、「アカウンタビリティ」（説明責任）について解説しておきましょう。これは政策評価における重要な概念の一つです。会計学や経営学、社会学など幅広い学術分野において論じられてきましたが、その意味合いやニュアンスは微妙に異なります。[45] ここでは、公共政策と特に関係の深い、行政学における議論を参照にして説明します。

行政学においてアカウンタビリティは、レスポンシビリティ（応答責任）との対比で論じられます。**図表2-6**は、行政倫理や行政責任を専門とする鏡圭佑氏による対比です。[46] アカ

図表2-6：説明責任（アカウンタビリティ）と応答責任（レスポンシビリティ）

	アカウンタビリティ	レスポンシビリティ
制度的／非制度的	制度的	非制度的
制裁の有無	責任を果たさなければ制裁	無い、もしくは弱い
責任認識の主観／客観	客観的責任	主観的責任
責任確保手段の具体性	あらかじめ具体的に措定	抽象的
能動責任／受動責任	他律的受動責任	自律的能動責任
責任の判定者の位置	外部の第三者	内部（自覚・個人の倫理観）

出典：鏡（2019：12）を一部改変

ウンタビリティは他律的で客観的な情報に基づいて遂行されます。ここまで見てきた、業績管理のような、数字を用いた評価、行政経営の観点は、アカウンタビリティを強化する立場だと言えます。

政策評価の導入にあって、目的の一つとして掲げられたのが、このアカウンタビリティです。この文脈において説明責任とは、ある政策を実施した後に、それが本当に効果的だったかどうかを、市民に対して分かりやすく説明する責任を行政に課すものであると理解されます。この点で、ＥＢＰＭもまた、アカウンタビリティの強化に資することを目指した取り組みであると言えます。

政策評価制度が法制化されたことによって、

アカウンタビリティを確保する上での強力な布陣が整ったかに見えましたが、実際に待ち構えていたのは困難な道のりでした。以下、アカウンタビリティをめぐって起きた三つの問題について、簡単に見ていきましょう。

①「説明責任」という訳語をめぐって

まず指摘できるのが、アカウンタビリティに当てられた、「説明責任」という訳語です。この訳語によって、アカウンタビリティは「説明する責任」として定着しました。そこにおいて抜け落ちたのが、誰に向かって、どの立場で、何を説明するのか、といった「説明」の内実に他なりません。[47] このことによって、他律的なはずだったアカウンタビリティにおいて、レスポンシビリティ的な要素が強まることとなってしまいました。自己評価を前提とした制度設計等はその典型です。

② アカウンタビリティを追及する主体をめぐって

政策評価の機能不全を招いている要因でもあるポイントが、アカウンタビリティは誰に向かって説明するのか、という主体をめぐるものです。あまり複雑に考えなければ、行政がアカウンタビリティを追及される際、その主体は市民が想定されます。しかし、実際に市民の側が政府や自治体が公表している政策評価に関する情報を利用することは滅多になく、作成された膨大な評価資料を見るのは内部の関係者か、一部の研究者だけにとどまる場合がほとんどです。このような状況下では、様々な制度改革を施しても、効果的に継続して運用することが難しくなります。なぜなら、評価結果がほとんど誰の目にも触れないのであれば、それは単なる内部情報に過ぎなくなり、行政にとって都合のいい内容しか記載しないものになってしまうからです。この点は後述する「お手盛り評価」とも関連しているので、後ほど詳しく扱います。

③「アカウンタビリティのジレンマ」

「アカウンタビリティのジレンマ」とは、アカウンタビリティ確保のために膨大な労力が必要となるあまり、本業が疎（おろそ）かになる状況を指します。[48] ある政策がどれだけの成果をあげたのかについて、細かい資料を準備し、たくさんの評価シートを作成する必要が生じると、本来やらなければならない政策に関する業務の時間を圧迫します。真面目な公務員ほど、無意味とも思える膨大なペーパーワークに忙殺され、作業のむなしさに打ちひしがれることとなります。現場の労力を度外視した制度は結局、その形骸化を招き、関連シートを埋めるだけの「作業ゲーム」があらゆるところで繰り広げられる結果を招いてしまうのです。これもまた重要な論点であり、後半で再び論じることになります。

以上三つの点が、アカウンタビリティと政策評価をめぐって起きたことです。アカウンタビリティ強化をねらって成立した政策評価制度ですが、実装にあたって様々な点の考慮が十分ではなく（とりわけ、「アカウンタビリティを追及する主体」についての考察の欠如は深刻だったと言わざるを得ません）、制度は形骸化の一途を辿ってきました。法制化による成果ももちろん少なくはないですが、こうした「副作用」は、ＥＢＰＭを導入するにあたっても大事な教訓だと言えるでしょう。

これらの事態と並行して起きていたのが、「概念の混同」でした。先にも挙げた山谷氏は２００２年当時、ある論文の中で次のように記していました。

政策評価はこのように、全く異なる背景とねらいを持つ意図がそれぞれ起源を別にしていることをあまり自覚しないいまま、ほぼ同じ時期に日本の行政の中に登場し、整理されないまま驚くべき速さで急速に広がり、法制度化されてきた[49]。

政策評価の急速な浸透は多くの成果をもたらしました。実際、自治体でも政策評価に関する条例を定め、多くの政策について検証が行われました。しかし、それと同時に、理論を十分に踏まえなかったがゆえの混乱もまた深刻化していきました。山谷氏はこうした混乱がもたらした「予測しなかった展開」として次の四つの点を挙げています。

第一に挙げられるのが、「業績測定と数量化」です。これは、政策評価と業績測定を同一視する傾向のことで、既に確認したように、これら二つは別の動きです。本書の言い方で言いなおすと、「プログラム評価」と「業績管理／業績測定」の違いが明確にならないまま、両方を「政策評価」と呼称しているケースが少なくない、というわけです。更に山谷氏が警鐘を鳴らしていたのは、「業績管理／業績測定」であったとしても、社会科学や工学、統計の素養が必要で、それらを欠いた状態で実施しても、本来期待されていた力は発揮できないのではないか、といった点です。これまで、「業績管理／業績測定」は、比較的容易であると説明してきましたが、それはあくまでもプログラム評価と比べれば、という話です。こちらも本気でやるには生半可な知識では難しいのです。極めて重要な指摘なのですが、この点を理解している自治体や政府の関係者はそれほど多くないのではないでしょうか。

第二に指摘されているのが「事前評価の偏重」です。政策を実施する前に評価することを「事前評価」と呼びますが、この頃の日本の政策は「プラン偏重主義」が問題とされていました。これは、当時の行政の雰囲気が、法律の制定や予算の獲得といった政策を実施するためのプラン作りに集中していたこと等を表したものです。

自治体に評価が急速に広まる中、当時の橋本龍太郎総理は、1996年に「行政改革会議」を設置し、中央省庁再編や、内閣機能の強化といった課題に対処していました。その行政改革会議によって1997年に提出された最終報告があります。この報告書でも多岐にわたる論点が指摘されていますが、政策評価、それにまつわるプラン偏重主義に関しては次のような記述があります。

> 従来、わが国の行政においては、法律の制定や予算の獲得等に重点が置かれ、その効果やその後の社会経済情勢の変化に基づき政策を積極的に見直すといった評価機能は軽視されがちであった。[50]

　ここにある問題意識こそがプラン偏重主義に他なりません。これは日本政治における伝統的な特徴の一つともされる「予算政治」とも関係しています[51]。予算に重きが置かれ、それを獲得できたかどうかが極めて重視される政策過程においては、必然的に予算の根拠となりうる法案や計画といったものに注目が集まることとなります。結果として、政策の見直しや検証はそれほど重視されることはなかったのです。

　政策評価はまさに、こうした「プラン偏重」からの脱却を目指したものでした。ところが、2002年時点での政策評価は、こうした「プラン偏重」に引っ張られ、事前評価に集中していると山谷氏は論じています。事前評価がダメというわけではないのですが、PPBSの部分でも触れたように、実際にやろうと思えばかなりの手間がかかるので、安易に手を出していいものではありません。

　第三に挙げられるのが、「内部評価と客観性」です。日本の政策評価は、地方でも国でも、内部評価が主流です。後に見るように、事業仕分けやその衣鉢を継いだ行政事業レビューにおいては、外部の視点からの評価が試みられていますが、今日に至るまで、米国のGAOに類するような外部の監視機関が設置されるということはありませんでしたし、専門スタッフによる評価も根付いているとは言い難いのが現状です。こうした状況を踏まえ、透明性の確保や、外部評価委員の活用などが一部で試みられてきましたが、そもそも評価目的にあわせた評価の仕組みを作れているのかが課題だ、とするのが山谷氏の主張です。

第四に指摘されているのが、「予算との連動」です。山谷氏は政策評価の結果を予算に結びつけることに対して、懐疑的な見解を披歴しています。先に挙げたＰＰＢＳの事例を見ても分かる通り、評価の結果を予算に反映させるには政治的な要素が必要になりますし、どこまで専門的な分析を予算要求に求めるかは難しい問題です。そもそも、評価がいい政策には予算を重点的に配分することになるわけですから、評価結果によっては予算が増えることだってあり得るわけです。

しかし、このような重要な含意や教訓は、政策評価の広まりの中で顧みられることはありませんでした。事務事業評価を大々的に導入して成果をあげた三重県がそうであったように、政策評価の導入にあたって期待されていたのは、予算のカットでした。効果のない政策を評価で明らかにして予算をカットし、より必要な政策に充てることができるとするなら、財政状況が厳しい自治体にとっては福音だったのです。

比較的はっきりと数字が出る「業績管理／業績測定」型の評価は、予算への反映と相性がいいように見えますが、実際には難しいポイントがあります。たとえば、ある事業について業績測定を行い、目標値が達成されていたことが判明していたとしましょう。果たしてこの事業の予算は増やすべきでしょうか、減らすべきでしょうか。あるいは、そのままの方がいいでしょうか。現状の予算で目標値が達成できたのなら、その政策のねらいは的中していたわけですから、もっと予算を増やせばもっと成果があがるかもしれません。また、現状で十分な成果があがっているのであれば、予算をもう少し減らしても問題ないかもしれません。あるいは、現状がうまくいっているのであれば、そこから変にいじらない方がいいかもしれません。いずれの考えも理に適（かな）っています。実のところ、こういった意思決定に関する明確なルールは存在しませんし、ルール化することも不可能なのです[52]。要するに、政策の評価結果をどのように反映させるのかという点において、政策評価の理論は何らの手掛かりも提供できていないのです。

さて、山谷氏が指摘した四つの問題（「業績測定と数量化」「事前評価の偏重」「内部評価と客観性」「予算との連動」）は、いずれも政策評価と業績管理／業績測定を十分に切り分けないことによって起きるものだとされています。今でも課題はあまり変わっていないのではないでしょうか。実際、国と自治体の政策評価制度は現在、取り組みの形骸化や「評価疲れ」などを招き、多くの批判にさらされています。こうした批判のポイントの一つが、いわゆる「お手盛り評価」と呼ばれるものです。

「お手盛り評価」には、上述した内部評価が関係しています。内部で評価をするものですから、どうしても甘いものになったり、自分の組織の都合を優先したりしてしまうのです。こうした見立てはいかにも想像しやすく、そうなるのも無理はないと直感的に分かります。ただ、なぜ、そしてどのようなメカニズムでお手盛りの評価が起きるのかについては、長らくの間、実証されてきませんでした。それを明らかにしたのが、行政学者の西出順郎氏による『政策はなぜ検証できないのか：政策評価制度の研究』です。[53]

『政策はなぜ検証できないのか』は、量的調査と質的調査の双方を駆使して、政策評価制度がなぜ期待通りの成果を果たせないのかを明らかにしています。その含意をまとめると、次の三点に集約できます。第一に、「高い評価判定を評価結果として提示する評価行動メカニズム」です。これは、評価に従事する人が、自分の成果をアピールするために評価を用いる時に生じます。たとえ評価結果が悪かったとしても、他の情報を付け加えたりすることによって、判定をよりよいものにしようとするインセンティブが生じてしまい、評価が客観的なものにならないという問題です。第二に、「評価結果が既存の政策情報に追従する評価行動メカニズム」が指摘されます。政策評価は多くの場で、論理が一貫した整合性のとれた説明を求めるものなので、結果として、不都合な情報を削いだ評価が行われることに繋がります。第三に、「中庸化された評価結果の情報を提示する評価行動メカニズム」が挙げられます。担当者は、行政資源（予算など）をたくさん獲得するのがその能力の証左になるわけですから、予定調和的にならざるを得ない。つまり、大絶賛するわけでもなく、かといってボロカスに言うわけでもない評価結果だらけになるわけです。

このように、実装されたのはいいものの、制度としてうまくいっているかというとそうではなく、現場の職員からの不満も少なくないというのが、政策評価の実態でした。この不幸な一連の出来事の背景には、理論と実践の乖離という根深い問題が横たわっています。これはＥＢＰＭにとっても大事な論点ですので、後ほど詳しく論じることとしましょう。

もっとも、政策評価のこのような行き詰りについて、政治も手をこまねいていたわけではありません。新しい政策評価の取り組みとして試みられたのが「事業仕分け」でした。「事業仕分け」については、先にも少し述べたように、完全に無くなったわけではなく、かたちを変えて今日まで引き継がれています。次項では、行き詰る政策評価を超えうるものとして一部で期待された「事業仕分け」の内実に迫りましょう。

「事業仕分け」とは何だったのか

事業仕分けとは、もともとは「構想日本」という政策シンクタンクのグループが始めたもので、２０００年代に入ってから地方自治体で実施され始め、２００９年に政権交代した民主党によって国レベルでも実施されました[54]。簡単な流れを説明すると、ある事業に関して、その担当者が説明を行い、仕分け人が質問します。それに対して担当者が答え、仕分け人がまた質問して……という流れで事業を検討する一連のプロセスを対象事業に対して行います。当時の仕分け人であった枝野幸男氏や蓮舫氏の舌鋒鋭い追及は話題となり、テレビでもたくさん報道されました。覚えている方も多いことでしょう。

事業仕分けが開始された当初、既に政策評価法はありましたから、これは屋上屋を架すことになるのでは、という指摘もありました。ですが、政権交代の勢いに乗る民主党は、その目玉として、かなり力を入れて推進を図りました。

事業仕分けは、厳密な手法を用いることなく事業を検討するものですが、その根底にあったのは次のような発想です。すなわち、しがらみのない人が担当者に質問を繰り返せば、比較的容易に事業の必要性や有効性、効率性を、低コストで明らかにすることができるというものです。[55]こうした想定をもとにした事業仕分けを、政策評価の一環と捉えていいかどうかは議論が分かれています。政策評価は元来、定まった方法のもとで、ある基準にしたがって評価を下すものですが、これに対して事業仕分けは基本的には口頭による問答で行われます。したがって、その評価の質は必ずしも科学的なものではありません。たとえば事業担当者が弁の立つ人で、枝野氏や蓮舫氏とも侃々諤々とやり合えるならば、事業は存続という結果になるでしょう。逆に口下手な人ならば事業は縮小や廃止といった結果になる可能性が高いはずです。[56]こうした点を踏まえると事業仕分けは、その客観性においては課題を残す取り組みだと言えます。

　一時は一世を風靡した事業仕分けでしたが、熱しやすく冷めやすい、とはよく言ったもので、すぐに世論は関心を失っていきました。ですが、関心が失われた後も事業仕分け自体は続いており、「行政事業レビュー」と名前を変え、仕分け人に有識者を入れるなどの変更が試みられます。そんな最中、２０１２年の衆院選で民主党は敗北し、自民党が政権に返り咲きます。自民党政権は、民主党政権のやったことを否定しがちと思われているかもしれませんが、実際には継続されている政策も少なくありません。[57]行政事業レビューはその一つで、自民党政権下でも引き続き実施されることとなり、今日に至っています。

自民党政権下での行政事業レビューは、民主党政権期のものから細かい変更がいくつかありますが、大枠は変わっていません。つまり、「仕分け人」が事業担当者と口頭の問答を繰り返して、事業の妥当性を吟味するわけです。ただし、最近の運用では「仕分け人」の多くは有識者（大学の研究者や経営者、コンサルタント等）で、政治家が行政事業レビューに関わることはあまり見られなくなりました。動画サイト上で映像が公開されている映像を見れば分かりますが、かつての事業仕分けの熱気あふれる様子とは違って、現行の行政事業レビューは淡々と進んでいるケースが多いようです。

こうした性質の変化は善し悪し両方あるでしょうが、初期の事業仕分けのような熱量を維持するのは簡単ではなかったのでしょう。実際、事業仕分けのブームの時は、自治体でも取り組むところが相次ぎましたが、仕分け人と行政側とが過度に対立的になることや、行政側の負担感の大きさ等の課題が浮き彫りとなり、休止・廃止している例も多くあります。[58]

事業仕分け及び、今日でも続いている行政事業レビューですが、政策評価から見れば大体、次のように概括できます。第一に、評価の中でも簡略的な仕組みをとった取り組みだということです。既に見たように、口頭による問答を通じた評価の仕組みは、精緻な手法を用いいません。これは導入と実施が比較的簡単にできる反面、やはり評価の質そのものは低くならざるを得ません。

第二に、どちらかと言えば、「業績管理／業績測定」型に類することです。政策のインプットとアウトプットやアウトカムの比率を見て、無駄がないかどうかをチェックしますから、政策の効果を厳密に測定する評価の在り方とは一線を画しています。ただ、今日の行政事業レビューでは、先に挙げたロジックモデルの作成とそれに基づく検討がなされていることもあり、事業の構造であるセオリーを評価する「セオリー評価」にも当てはまる面もないわけではありません。

このような特徴を有する行政事業レビューですが、今日ではＥＢＰＭを担う重要な位置づけを与えられています。この点の是非については後ほど詳しく見ることとして、以下ではこれまでの流れを踏まえ、日本における政策評価の在り方について、暫定的な概括を加えておきましょう。

日本における政策評価とは何なのか

ここまで、かなり駆け足ではありますが、日本の政策評価の歴史と、今現在の取り組みについて見てきました。

日本の政策評価は、紆余曲折を経て定着に至っていますが、その主な手法は「業績管理／業績測定」型にあると言ってよいでしょう。この傾向は、中央政府ならびに自治体の双方に見られます。[59] こうした経緯に至った決定的な理由は、実のところよく分かっていません。当時、政策評価の導入や普及に携わった人々に話を聞いたりすれば分かることも多いかもしれませんが、自治体ごとに事情も違うでしょうし、それらの影響を受けた国も一枚岩ではないですから、全容を把握するのは簡単ではないと思われます。ただ、実際に政策評価をやっていく上で、精緻な評価を全面的に実装するのは困難だったことは容易に想像がつきます。

結局のところ、投入する資源を増やせば増やすほど、質の高い評価ができますし、逆に手間をかけなければそれなりの結果しか生まれないという、手間と質の関係を認識する他ありません。日本の政策評価は、かなりの労力を費やして取り組みが進んできましたが、資源の投入の仕方に課題があり、たくさんの事業を評価対象にしようとするあまり、一つ一つの事業に対してかけられる労力が限られてしまっています。早い話、「広く浅い」評価が、今の日本の政策評価の特徴なのです。もちろん、制度によっては例外もありますが、たとえば行政事業レビューはそうした傾向が色濃く出ており、数多くの事業を限られた時間と人員で吟味するわけです。

こうした方針にはメリットとデメリットがそれぞれあります。メリットは、何と言っても数多くの事業を点検できる点です。政府は現在、たくさんの事業を実施しています。それらがどのような効果をもたらしているのか、無駄なものはないかといったことについて、数多く調べれば、それだけ問題点もたくさん見つかる可能性が高くなります。これに対してデメリットは、精緻な評価ができない点です。政策の効果をキチンと検証するには、多くの準備が必要ですし、時間もかかります。それを全ての事業でやるのは全く現実的ではありません。これはどちらがよい、どちらが悪いという話ではなく、それぞれのメリットとデメリットを踏まえ、賢く使うべきです。問題なのは日本の場合、こうした違いがキチンと踏まえられていないことにあります。

この違いの看過は、日本の政策評価に深刻な影響を及ぼしています。

それは、「効率性」の偏重です。政策評価にはいくつかの基準があるのですが、「効率性」はその一つです。一般的に言って効率性とは、投入された資源と得られた成果の比率で測定されます。少ない資源でたくさんの成果が得られれば効率性はよいわけです。単純化して言えば、いわゆる「コスト・パフォーマンス」と同じような概念と理解していただければ問題ありません。公共政策が公共の資源を使うものである以上、効率性を無視することは望ましくないですから、これは大事な基準の一つです。

ただし、効率性の基準に偏重することには問題もあります。というのも、効率性の歪んだ追求が、現場に疲弊をもたらしているとの指摘があるからです。どういうことでしょうか[60]。

効率性は投入された資源量と成果の比率から導き出され投入する資源の量を減らせば、見かけの上では改善します。ですが、資源の投入を削減した後、削減前と比べて成果にどれだけ変化があったのかを検証しなければ、真に効率性を改善したとは言えません。ところが、多くの政策評価の現場で、予算の削減が最大の目的と見なされ、この点の検証が不十分となってしまいました。結果として、予算を一方的に削減するだけになってしまい、現場が疲弊するという現象が全国各地で起きています。これは「効率性」を誤った形で追求したことの弊害と言えるでしょう。

また、政策評価の基準はこれだけではありません。「有効性」という、政策に本当に効果があるのかどうかという基準もまた重要です。とりわけ、ＥＢＰＭは有効性を重視するものであり、これを確かめる手段としてＲＣＴが有力なのです。翻って、三重県で導入された事務事業評価や、事業仕分けのように、日本では評価に類する取り組みはしばしば、予算削減とセットで流行してきました。評価と予算削減は、本来は別の次元の話のはずにもかかわらず、日本の文脈ではこれらがセットになって世を席巻してきたのです。言うなれば、「効率性」は「合理化」の中身のうちの一つに過ぎないのに、それこそが政策の合理化の全てであり、評価はそれに資するためにある、という認識が広まってしまったのです。[61]

こうした経緯は、日本におけるＥＢＰＭにも大きな影響を及ぼしています。以上を踏まえ、次章では日本におけるＥＢＰＭの展開を見ていきましょう。

第3章

日本におけるＥＢＰＭ

日本におけるEBPMの起源

日本におけるEBPMはいつから始まったのでしょうか。実のところ、この問いに答えるのは簡単ではありません。[62]

たとえば、いくつかの文献は、2018年を「EBPM元年」と呼んでいます。この年は、統計法の一部改正が実現するなど、画期的な出来事がいくつかありました。また、2016年末に「官民データ活用推進基本法」という法律が施行され、地方自治体等にデータ利活用についての制度整備を求めました。こうした要請が、検討を経て実行に移され始めたのも2018年前後のことでした。ですので、「EBPM元年」として2018年を規定するのは、ある程度は正確な認識であると言えます。

ただ、正確には2018年からさかのぼること10年ほど前に、EBPMを推進しようとする動きがあったことは、もっと知られてもよいでしょう。2009年に全面施行されたのが新統計法です。これは60年ぶりの統計法の全面改正で、専門家や実務家の間で大きな話題となりました。2009年3月13日に閣議決定された、「公的統計の整備に関する基本的な計画」（いわゆる「第Ⅰ期基本計画」）において既に、ＥＢＰＭの重要性が掲げられていました。[63]「ＥＢＰＭ元年」から約10年前、重要な行政文書にＥＢＰＭの文言は既に登場していたのです。最近の研究ではあまり触れられることはありませんが、大事な点の一つです。

統計改革は様々な取り組みがなされましたが、二つの方針が主でした。一つ目は「公共財としての統計作成」です。これは、統計情報を公共財として位置づけ、多くの人に利用してもらい、社会の役に立てようとする方針です。当たり前のことを言っているように聞こえますが、当時、省庁が作成する統計情報は、省庁の中でだけ用いるものという認識が強かったのです。こうした状態から、もっと統計の利便性をよくして、まさしく「みんなのもの」として統計情報を位置づけなおす、というのがこの方針です。もっとも、改革が行われてから10年ほど経った後にも、厚生労働省や国土交通省で統計不正が発覚しており、こうした認識は十分に定着していないかもしれません。

二つ目の方針は「司令塔の設置」です。これは、日本の統計行政が「分散型」とされてきたことと関係しています。統計行政には大きく分けて、「分散型」と「集中型」（集権型）の二つがあると言われています。「分散型」とは、いわゆる「縦割り」の行政のもと、省庁ごとに統計調査が行われ、作成されている状態を指します。これに対して「集中型」は、統計の作成や集計を一手に担う組織が存在し、統計行政全体を監督します。近年、多くの国はこの「集中型」に向かう改革がトレンドのようです。２００７年には、「統計委員会」を設置し、その役割を担わせるとされました。具体的には、「基本計画」の策定と運用、そして大臣への諮問を行う権限が与えられました。こうした改革によって、統計行政全体を見渡す視点のもとで改革を統括し、統計の利便性を高めることが目指されたわけです。

こうした改革の後も、日本の統計行政の改革についての議論は続きます。２００９年当時の統計改革を主導したのは経済財政諮問会議でしたが、更なる統計改革においても議論を主導することとなりました。

第二次安倍政権発足後の２０１３年、経済財政諮問会議で配布された資料には、「結果（エビデンス）に基づく政策評価を基礎とするＰＤＣＡサイクルの確立に向けて」という章が設けられています。[64] この文書の中では、政策効果の把握のために、統計データをオープン化すること等に言及があります。この前後で第二次安倍政権が推進した経済政策が「アベノミクス」でしたが、統計改革はここにも関連付けられ、ＧＤＰ統計の改善も射程に入ることになります。

２０１７年には新しく「統計改革推進会議」が設立され、ＥＢＰＭ推進のための統計改革が本格化していきます。統計改革推進会議の議長は内閣官房長官で、有識者や関係閣僚がそのメンバーでした。この委員会は幾度かの会議を経て、『最終取りまとめ』を提出します。この『最終取りまとめ』では、ＥＢＰＭ推進体制の構築や、ＧＤＰ統計の改善等が掲げられます。[65]

『最終取りまとめ』によって、二つの制度が整えられました。一つ目が、「統計幹事」と「総括統計幹事」の設置です。前者は各省庁において任命され、統計行政の総括を担います。後者は、各省庁の統計幹事をまとめる役割を担います。二つ目が、「ＥＢＰＭ推進委員会」の設置です。これは、統計改革と並行して整備された「官民データ活用推進基本法」を根拠として設立された組織で、各府省から任命された「ＥＢＰＭ推進統括官」と、内閣審議官や総務省の行政評価局長らによって構成されています。

こうした背景のもとで、２０１８年5月に、「統計法及び独立行政法人統計センター法の一部を改正する法律」が成立し、統計法の一部改正が実現します。この法改正にはいくつかのポイントがありますが、ここでは大きく分けて二つにフォーカスして解説しましょう。

一点目が、調査票情報の提供拡大です。調査票情報とは、公的機関が統計作成のために収集、作成した情報のことを指します。この情報は、研究的に貴重なものなのですが、個人情

図表3-1：EBPM推進の体制

エビデンス・ベースト・ポリシー・メイキング

1．EBPM（証拠に基づく政策立案）推進体制の構築

- EBPM（証拠に基づく政策立案）を推進する体制を政府内に構築
- これにより、政策部局による統計・データの利活用と統計部局によるニーズを反映した統計・データの改善が連動する「EBPMサイクル」を確立

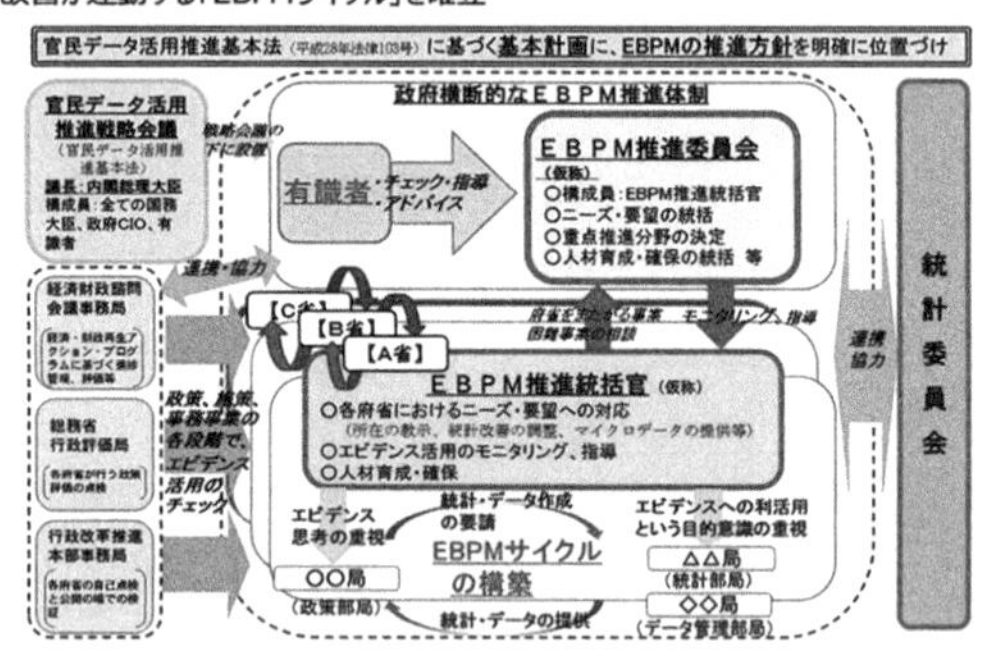

2

報も含まれているため、慎重な取り扱いが必要とされます。この改革によって、条件は課されつつも、民間業者も調査票情報を利用することが可能となりました。

二点目が、司令塔機能の強化です。２００９年の統計法全面改正によって設置された統計委員会でしたが、司令塔としての役割を果たすにはより大きな権限が必要とされていました。今回の法改正によって位置づけが変更され、所掌事務が拡大し、総務大臣を通じて関連機関への勧告を行う権限が付与されました。

これらの改革によって、現在まで続

くEBPM推進の体制が整うことになりました。**図表3-1**は、それを表した行政の会議資料（いわゆるポンチ絵）ものです[66]。

ここまで日本におけるEBPMの起源と流れを簡単に見てきました。細かい制度や法律の話ばかりでしたので、少し退屈だったかもしれません。これでも詳細をかなり省いていますので、もっと詳しく知りたい方は、参考文献に挙げている書籍や論文などをあたってみてください。

こうした経緯のもとで展開されることとなった日本のEBPMですが、どのような特徴を備えていると言えるでしょうか。評価研究者の田辺智子氏は、日本におけるEBPMが統計改革から始まった影響もあり、政策の効果への関心よりもデータ利活用と関連付けた取り組みが主流となったことを指摘しています[67]。英国をはじめとしたEBPM先進国での合言葉が「What Works」（何が役に立つか）であったことを想起すれば、日本におけるEBPMがやや特殊であることがお分かりいただけるでしょう。

統計情報の利用や、データの利活用がEBPMと全く関係ないかと言えば、もちろんそうではありません。ですが、GDPをはじめとした経済指標への関心から始まり、それを改善すべく着手された統計改革と結びつけられた日本のEBPMは、確かにその始まりからして、他の国（特に米英）とは違うかたちでのスタートを切ったと言えるでしょう。

「第一の矢」と「第二の矢」

こうした経緯で開始された日本のＥＢＰＭですが、その後も様々な展開を見せています。全てを素描するのは難しいので、主要なものをいくつか見ていきましょう。[68]

「ＥＢＰＭ三本の矢」と呼ばれる取り組みがあります。これは、上述した統計改革の議論の流れで出てきたフレーズであり、当時話題となっていた「アベノミクス三本の矢」にあやかったものでした。これら三つを表したのが**図表3-2**です。

「第一の矢」は、内閣府の経済財政諮問会議によって担われています。その内容は、「経済・財政再生計画における重要業績評価指標（ＫＰＩ）整備」となっています。このように聞くだけでは訳が分からないと思いますので、もう少し丁寧に見ていきましょう。

まず「経済・財政再生計画」とは、２０１５年の「経済財政運営と改革の基本方針２０１５：経済再生なくして財政健全化なし」（いわゆる「骨太の方針」）において盛り込まれたものです。[69] 具体的には、同計画の第３章が、『『経済・財政一体改革』の取組：『経済・財政再

図表3-2：EBPM三本の矢

	「第一の矢」	「第二の矢」	「第三の矢」
内容	経済・財政再生計画における重要業績評価指標（KPI）整備	政策評価	行政事業レビュー
政策体系における対象	政策	施策	事業
所管省庁	内閣府（経済財政諮問会議）	総務省 行政評価局	内閣官房行政改革推進本部事務局
具体的取り組み及び手法	・統計整備 ・指標改善 ・共同研究	・共同研究 ・プログラム評価（特にアウトカム評価／インパクト評価）	・ロジックモデルの活用 ・簡易化されたセオリー評価／プロセス評価 ・業績測定
目的	・財政健全化 ・「有効性」	・説明責任の遂行 ・「有効性」	・無駄の削減（予算への反映） ・「必要性」／「有効性」／「効率性」
「エビデンス」とされているもの	・政策のインパクト ・KPI ・統計データ	・政策のインパクト ・統計データ	・政策のアウトカム ・業績指標

出典：杉谷（2022：144）より抜粋

生計画』」との表題になっています。この中では、デフレの脱却による経済再生を達成し、2020年度にプライマリーバランスを黒字化することが目標として設定されていました。当時はデータの可視化（「見える化」）等を掲げ、政策を効率的に運用し、経済を浮上させることがヴィジョンとして掲げられていたのです。

この計画を運用するにあたって重視されたのがKPI（Key Performance Indicator、重要業績評価指標）です。EBPM第一の矢は、この計画がちゃんと進んでいるかどうかをモニタリングし、マネジメントすることを掲げていました。ただ、このようなKPIを重視したマネジメントの改善が、EBPMの本旨に合致するものかと言うと、意見の分かれるところです。このこともあってか、「第一の矢」では、KPIによるマネジメントだけでなく、研究機関と協力した実証研究にも取り組まれています。

これに対して、「第二の矢」は、総務省において取り組まれている「府省の政策評価」を舞台としています。先にも述べた通り、2001年にいわゆる「政策評価法」が成立し、政策評価の取り組みが進められてきました。「第二の矢」はその実践に沿って行われています。「第二の矢」においては、これまで行われてきた「府省の政策評価」をEBPM的な観点から運用することによって、評価の質をより向上させようとする試みが行われています。また、

「第一の矢」と同様に、研究機関との共同研究も取り組まれており、質の高いエビデンスの導出にも力が入れられています。[70]

これらの点を踏まえると、「第一の矢」と「第二の矢」は、研究を通じたエビデンスを導出し、それによって政策の改善を目指した取り組みがなされているという点で共通していると言えそうです。ただし、「第一の矢」の目的があくまでも財政健全化にあるのに対して、「第二の矢」は「説明責任の遂行」にあり、その目的は異なります。

「第一の矢」と「第二の矢」が、共同研究の実施も並行しており、どちらかと言うと厳密なエビデンスの導出や活用を志向するEBPMに近いかたちで行われているのに対して、「第三の矢」は議論含みです。結論から言えば、「第三の矢」が舞台としている行政事業レビューにおいて、厳密なエビデンスを用いた政策の検証ができるかどうかは、かなり怪しいと言わざるを得ません。ですので、この点に関しては、果たしてEBPMの名を冠してよいものか、議論の余地があると言えるでしょう。にもかかわらず、政府はEBPM推進にあたって行政事業レビューをますます重用しています。

したがって、「第一の矢」と「第二の矢」以上に、「第三の矢」たる行政事業レビューにおけるEBPMについては、念入りに検討していくべきだと言えます。では、「第三の矢」におけるＥＢＰＭを我々はどのように考えればよいでしょうか。以下ではこの点を見ていきましょう。

「第三の矢」の内実

「ＥＢＰＭ第三の矢」の舞台は行政事業レビューです。上述したように、行政事業レビューは事業仕分けを前身とする取り組みです。では、行政事業レビューにおけるＥＢＰＭはどのように展開してきたのでしょうか。

行政事業レビューにおいてＥＢＰＭ推進を掲げることが明言されたのは、上述した「経済・財政一体改革」の流れの中においてでした。経済財政諮問会議が提出する、「経済財政運営と改革の基本方針」（いわゆる「骨太の方針」）の２０１６年版に次のような記述が確認できます。

実効的なＰＤＣＡサイクルを構築するため、経済財政諮問会議において、各省庁が概算要求の検討に着手する前から議論と精査を進める。……その際、毎年度の取組状況や指標のチェックともに、複数年度にわたる視点も重視する。……さらに、政策評価や行政事業レビューと有機的連携を図りながら、改革工程表の個別事項の進捗状況を検証する。[71]

この方針によって、行政事業レビューと「経済・財政一体改革」の連携が明記され、その活用が重視されるようになりました。こうした構えは上述した統計改革にも波及していきます。たとえば、２０１８年統計法改正によって結実した統計改革において重要な文書である、『統計改革推進会議最終取りまとめ』には、行政事業レビューについて次のような記述が確認できます。

各府省が作成する行政事業レビューシートに成果目標の根拠として用いた統計等データを明記するとともに、成果目標の比較検証性を高めるための取組を実施することにより、レビューシートによるエビデンスの明確化を図る。また、行政改革推進会議の下で行われる「秋のレビュー」において具体的事例を取り上げて、ＥＢＰＭの取組について、外部有識者による試行的検証を実施する。[72]

右の記述でとりわけ重要なのは、行政事業レビューにおける具体的事例に対して、「試行的検証」なるものを行うと明言されている点です。では、ここで言う「試行的検証」とは一体どんなものなのでしょうか。実のところ、それこそがロジックモデルの作成に他なりませんでした。

行政事業レビューにおけるロジックモデルの活用

行政事業レビューにおける「試行的検証」は、２０１７年頃から開始されます。その内実は、行政事業レビューの公開プロセスにかけられる事業の中からいくつかをピックアップし、その事業に関してロジックモデルを作成する、というものです。実際のレビューの現場でも、作成されたロジックモデルを活用した議論が行われました。数年にわたるこうした試行的検証を経て、行政事業レビューでのロジックモデル活用は本格化していきます。

では、行政事業レビューにおけるロジックモデルの活用の実態はどのようなものなのでしょうか。実例を見てみましょう。

図表３－３は、経済産業省の「ＧｏＴｏイベント事業」（２０２１年度）の実際のロジッ

図表3-3：Go Toイベント事業のロジックモデル

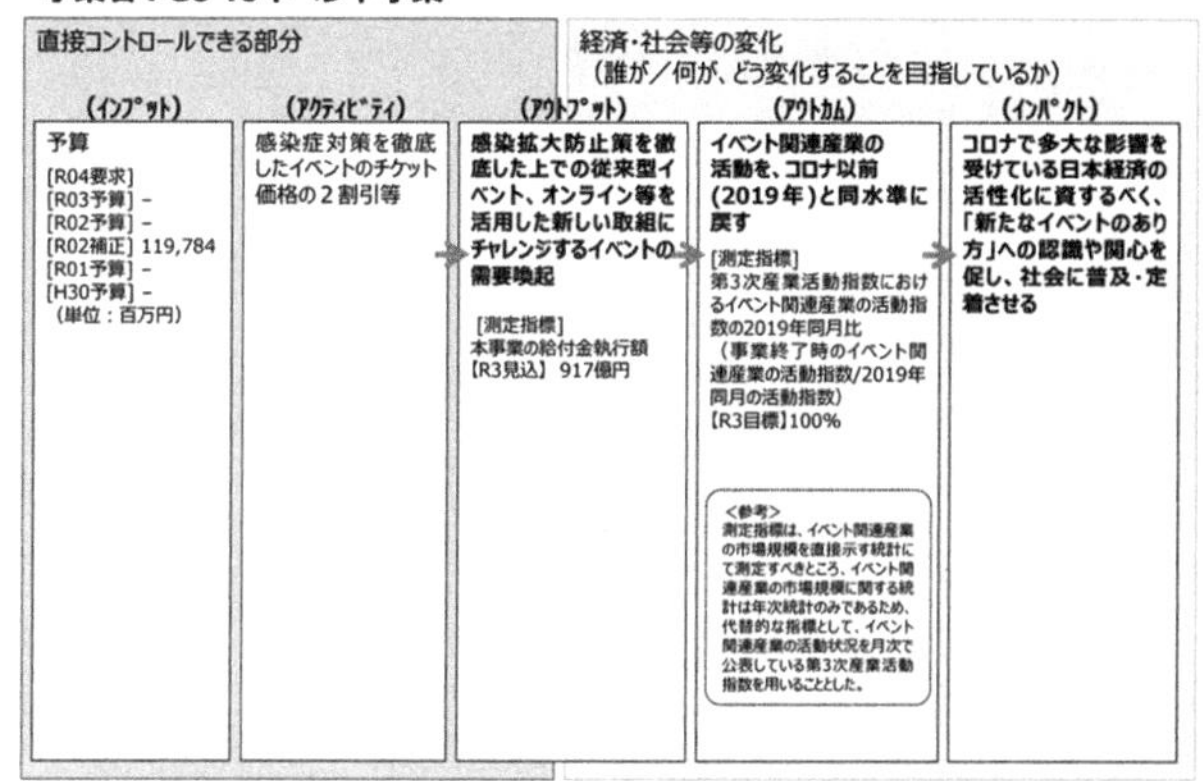

担当課：商務・サービスグループ　官民一体型需要喚起推進室

クモデルです。[73]経済産業省のこの事業は、「新しい生活様式」を取り入れたイベントの開催方法や楽しみ方を社会に普及・定着させることを目的とした政策の一環と説明されています。[74]

　ではロジックモデルにしたがいつつ、適宜ほかの資料も参照しながら、この事業の中身をもう少し詳しく見てみましょう。まず、予算がつけられます（インプット）。続いて感染症対策を行っているイベントについて、チケットを値引きする等といった活動が行われます（アクティビティ）。その結果として、新しい取り組みに挑戦するイベントの需要が喚起されるとしています

（アウトプット）。得られる成果としては、イベント関連活動をコロナ以前と同水準に戻すことが掲げられています（アウトカム）。最終的には、「新たなイベントのあり方」を社会に普及・定着させることがねらいとして述べられています（インパクト）。

この事業について行政事業レビューではどのような議論が交わされたのでしょうか。行政事業レビューの公開プロセスについては、議事録が公開されています。[75] 議事録によれば、レビューを担当する委員から、次の二点に関する質問がありました。

第一に、イベントに先立って利用される交通機関や飲食店といった場所においても、いわゆる「密」にならないような利用を促進する方針が掲げられているが、実行は難しいのではないか、という論点です。第二に、具体的に何か新しい取り組みが出てきたのか、という質問です。担当者は一つ目の質問に対して、主催者が来場者に呼びかけるといった方法がとられていると回答しています。二つ目の質問については、オンラインで様々な試みがなされたことを挙げています（水族館の裏側を見せる映像を公開した事例など）。別の委員からは、行政事業レビューシートに書かれている「執行の見込み」という文言に着目した上で、たとえば緊急事態宣言が延長された場合にはイベントの中止が長引いて、逆にコロナが収束すれば事業そのものが不要になる状況下で、どのような対応が講じられているのか、といった質問が出ています。それに対して担当者は、体制や事業内容も含めて、大幅な見直しを図っていくと回答しています。

ややや議論の深まりに欠けるような印象を受けるかもしれませんが、行政事業レビューは、たくさんの事業を限られた時間で吟味する取り組みのため、一つの事業にかけられる時間は短く、おおよそこの程度のやり取りにとどまることが多いのです。また、「ＧｏＴｏイベント事業」は、同じような枠組みで行われている「ＧｏＴｏ商店街事業」と抱き合わせで行われるものでした。そのため、一つの事業あたりにかけられる時間はますます少なくなります。このように複数の事業をセットで取り上げるかたちも、現在の行政事業レビューでは珍しくありません。

さて、このようにして、ロジックモデルを一部で活用することでＥＢＰＭを推進しようとしてきた行政事業レビューですが、２０２２年末に岸田文雄首相自らが、「行政事業レビューについて、ＥＢＰＭの手法を取り入れて、より効果的な政策の立案に活かせるよう、抜本的に見直してまいります」と表明しました。[76] この表明を通じて、行政事業レビューにおけるＥＢＰＭ推進が一層、本格的に取り組まれることとなります。

改革を通じた行政事業レビューにおけるＥＢＰＭ推進

そこで行われたのが、行政事業レビューで用いられる、レビューシートの改革です。改革のポイントはいくつかあるのですが、本書ではロジックモデルとの関係についてのものをピックアップして論じたいと思います。

レビューシートとは、行政事業レビューに用いるシートのことです。事業の概要から予算の金額までが記されており、このシートを読むだけで事業の概要が把握できます。**図表３－４**（１０８ページ）は、２０２３年度に用いられたレビューシートの一部です[77]。

特にレビューシートの左ページに注目してください。ここでは、右ページの「インプット」から、左ページの「アクティビティ」「アウトプット」、複数段階にわたる「アウトカム」の一連が記載されており、レビューシートの中にロジックモデルが組み込まれていると解釈できます。これまでは一部の事業に対して行われていたロジックモデルの活用を、全ての事業に対して行うというのが、行政事業レビューにおけるＥＢＰＭ推進の相貌であるとひとまずは言えるでしょう。

ただし、繰り返しになりますが、ロジックモデルの作成ならびに運用が、果たしてＥＢＰＭと言っていいかどうかについては議論の余地があります。以下では、ロジックモデルとＥＢＰＭの関係について、既存の研究を整理しつつ、その整合性について考えていきましょう。

EBPMとロジックモデル

これまでの議論を踏まえると、ロジックモデルはＥＢＰＭとの関係において、次のような特徴を備えたものであると概括できます。

第一に、ロジックモデルは、ＥＢＰＭが標榜するほどの「厳格なエビデンス」を導出するものではありません。この点ははっきりさせておいた方がよいでしょう。繰り返しになりますが、ＥＢＰＭの本旨は、精緻にデザインされた研究をもとに、どのような政策が最もインパクトのあるものなのかを丁寧に明らかにし、それを実践するという点にあります。

翻ってロジックモデルはどうでしょうか。これまで見てきたように、ロジックモデルは、ある介入について、資源投入から結果の発現に至るまでの一連の流れを図式化したものです。これによって、そのねらいが分かりやすくなるというのがロジックモデルの利点です。ただ

図表3-4：行政事業レビューシートの一部

事業番号　2023　－ [illegible] － [illegible] －

	令和5年度行政事業レビューシート			（　（選択してください）　）	
事業名			担当部局庁		作成責任者
事業開始年度		事業終了（予定）年度	担当課室		
会計区分					
根拠法令（具体的な条項も記載）			関係する計画、通知等		
政策			主要経費		
施策					
政策体系・評価書URL					
事業の目的（5行程度以内）					
現状・課題（5行程度以内）					
事業概要（5行程度以内）					
事業概要URL					
実施方法					
補助率等					

予算額・執行額（単位:百万円）（インプット）			令和2年度	令和3年度	令和4年度	令和5年度	令和6年度要求
	予算の状況	当初予算(A)	-	-	-	-	-
		補正予算(B)	-	-	-	-	
						-	
						-	
						-	
						-	
						-	
		前年度から繰越し(C)	-	-	-	-	-
		翌年度へ繰越し(D)	-	-	-	-	
		予備費等(E)	-	-	-	-	
		計(F) =(A)+(B)+(C)-(D)+(E)	-	-	-	-	-
	執行額(G)		-	-	-		
	執行率(%) =(G)/(F)		-	-	-		
	当初予算＋補正予算に対する執行額の割合(%) =(G)/{(A)+(B)}		-	-	-		

令和5・6年度予算内訳（単位:百万円）	歳出予算項・目			令和5年度当初予算	令和6年度要求	主な増減理由（・重要額・予備費）
	(項)					
		(目)				
			その他	-	-	
	計(A)			-	-	

活動内容①（アクティビティ）									
↓									
活動目標及び活動実績①（アウトプット）	活動目標	活動指標		単位	令和2年度	令和3年度	令和4年度	5年度活動見込	6年度活動見込
			活動実績						
			当初見込み						
↓ 成果目標①-1の設定理由（アウトプットからのつながり）									
成果目標及び成果実績①-1（短期アウトカム）	成果目標	定量的な成果指標		単位	令和2年度	令和3年度	令和4年度	目標年度 　年度	
			成果実績						
			目標値						
			達成度	%	-	-	-	-	
成果実績及び目標値の根拠として用いた統計・データ名（出典）/定性的なアウトカムに関する成果実績									
↓ 成果目標①-2の設定理由（短期アウトカムからのつながり）									
成果目標及び成果実績①-2（中期アウトカム）	成果目標	定量的な成果指標		単位	令和2年度	令和3年度	令和4年度	目標年度 　年度	
			成果実績						
			目標値						
			達成度	%	-	-	-	-	
成果実績及び目標値の根拠として用いた統計・データ名（出典）/定性的なアウトカムに関する成果実績									
↓ 成果目標①-3の設定理由（長期アウトカムへのつながり）									
成果目標及び成果実績①-3（長期アウトカム）	成果目標	定量的な成果指標		単位	令和2年度	令和3年度	令和4年度	目標最終年度 　年度	
			成果実績						
			目標値						
			達成度	%	-	-	-	-	
成果実績及び目標値の根拠として用いた統計・データ名（出典）/定性的なアウトカムに関する成果実績									
アウトカム設定についての説明	アクティビティ①について定性的なアウトカムを設定している理由								
	アクティビティ①についてアウトカムが複数設定できない理由								

し、厳密性の観点から言えば、ロジックモデルにはやはり限界があります。極端な話、ロジックモデルが最終的に想定している「アウトカム」や「インパクト」に関しては、エビデンスがなくとも作ろうと思えば作れてしまいます。もちろん、何の脈絡もない、思い付きのロジックモデルを作っては意味がありませんし、たとえば行政事業レビューの場でそれを出そうものなら、レビュー担当者から批判されることでしょう。問題なのは、ＥＢＰＭの名を冠しておきながら、厳密なエビデンスとは程遠いロジックモデルが出てくる状況が生まれてしまう構造にあると言えそうです。

そもそも、ロジックモデル作りは、一見すると簡単そうですが、ちゃんと取り組もうと思うとなかなか骨が折れます。正確な情報に基づき、妥当な論理構造を備えたロジックモデルを作るには、他の国の事例のみならず、様々な先行研究を読み込む必要があります。そうした前提でこそ、上述した「セオリー評価」（ある介入の想定している論理構造を評価する手法）は威力を発揮します。しかし残念ながら、このような精緻なロジックモデルの実例は、それほど多くないのが現状です。ＥＢＰＭに接近しようと思えば、ロジックモデルの質をどれだけ上げるかを議論しなければならないでしょう。

第二に、上記の点と関連して、ロジックモデルの運用の仕方に関するポイントが挙げられます。そもそも、ロジックモデルを用いた評価は何を目的として行われるのでしょうか。日本におけるロジックモデル活用の第一人者である、行政学者の佐藤徹氏は、ロジックモデルは一つの「仮説」を示したものであると論じています。[78] この観点から、ロジックモデルとEBPMの関係を佐藤氏は次のように整理しています。すなわち、ロジックモデルが想定する仮説を、より確からしいものにするには、関連する情報を集める必要があり、この点に効用があるとされます。これはいわゆる「問題の状況や要因」を表すエビデンスを収集する活動に該当するものです。確かに、「そもそも、この事業は何のためにやっているんだろう」ということを考える上で、「ロジックモデルの想定は妥当なのか」を吟味するエビデンスの収集は、担当者の事業への理解を深めることにも繋がるでしょう。このような「問題の状況や要因」に関するエビデンスは、正確なロジックモデルの作成に欠かせませんが、実際には伴っていないことも多いのが実情です。

ロジックモデルが「仮説」である以上、それが想定している効果もまた、その域を出ません。本当にロジックモデル通りに政策が作動したかどうかを確かめるには、それこそ「政策の効果」を示すエビデンスを収集しなければなりません。ロジックモデルを作ったのなら、作りっぱなしで終わらせるのではなくて、その想定が本当に正しいのかどうかを含めて、客観的なデータを用いて検証しなければならないのです。これは一点目に挙げたポイントと共通している部分です。

第三に、ロジックモデルは「業績管理／業績測定」型の評価と相性がいいという点を挙げておきましょう。佐藤氏は、ロジックモデルを用いてKPIの見直しができると論じています[79]。たとえば、ロジックモデルのインプットとアウトカムのところに数字を書き込めば、現状の把握が可能になります。更に、政策を実施する前とした後の数字をあわせて記載すれば、その事業の実施前後の状況を比べることができます。あるいは、ロジックモデルにあわせたKPIを設定してみることで、「その政策の成果を表すものとして、どういった指標が適しているのか」を考える手掛かりを得ることができます。こうした点から考えると、ロジックモデルは、業績管理を行う上で有用な役割を担うツールの一つという側面も備えていると言えます。

これら三つの点を総合すれば、やはりロジックモデルとEBPMのあいだには、ある程度の隔たりがあると考えるべきでしょう。何と言っても重要な違いは、ある介入のインパクトをどれだけ精緻に測定できるかどうかです。佐藤氏も指摘しているように、ロジックモデルはあくまでも仮説であって、それだけでは「エビデンス」とは言い難いからです。したがって、ロジックモデルをEBPMの名の下に推進するにあたっては、もう少し手の込んだ取り組みが必要となるはずです。たとえば、KPIをはじめとした数字を掲載したり、セオリーを構成する繋がりを先行研究によって補強したりすれば、ロジックモデルはより信頼できるものとなるでしょう。[80]ですが、こうした点を十分に意識した実践がなされているかと言うと、心もとない点があると言わざるを得ないのが実情です。

実例を見てみましょう。２０１８年の行政事業レビューに外部有識者（いわゆる仕分け人）として参加した永久寿夫氏は、農水省のレビュー及びロジックモデルに関して次のような指摘をしています。[81]すなわち、事業を設計する段階からロジックモデルを作成せずに、評価の段階でロジックモデルを作ってみても、それは無理やり感が否めないものになってしまうのです。永久氏はこれを「再ロジックモデル化」と呼び、この営為には限界があると喝破しています。そもそも、ロジックモデルの使い方として本来あるべき姿は、解決したい問題に対して、複数のアプローチを勘案し、それぞれについてロジックモデルを作成して、どのセオリーが妥当かどうかを吟味する、というものです。しかし、既存の事業に対してロジックモデルを作成するだけでは、代替案を思いついたとしても、それを採用するわけにはいきません。ロジックモデルの意義を本当に発揮させようとすれば、事業を考える時点から作成に着手し、更に複数のアイデアを比較するなどといった過程が必要なのですが、そういった丁寧な段階を踏んで運用されている事例は、ごく僅かにとどまっているのです。

日本におけるＥＢＰＭの課題

第3章の検討で得られた知見をまとめてみましょう。

日本におけるＥＢＰＭは、先んじている米英の取り組みを踏まえつつ、統計改革の議論を皮切りとしてスタートしました。制度的、社会的な要件が米英と異なる日本においてＥＢＰＭは、独自の展開を見せます。とりわけ、ロジックモデルの活用と、舞台として行政事業レビューが選ばれた点は、日本独自の文脈がもたらした展開と言ってよいかと思います。では、こうした展開を私たちはどのように考えるべきでしょうか。

メリットとしては、ＥＢＰＭという名前を広く浸透させることが挙げられます。ここ数年の間で、多くの行政関係者たちは「ＥＢＰＭ」という言葉をたくさん聞いたはずです。このようにＥＢＰＭという単語が人口に膾炙（かいしゃ）することによって、政策にある程度の根拠をもたせないといけない、という意識を多くの行政関係者がもつことが期待できます。このような観点はＥＢＰＭを、「霞ヶ関改革運動」として捉える一部の論者の見解と軌を一にしていると言えるでしょう[82]。

これは言うなればコインの裏表のようなもので、いい面があれば悪い面もあります。たとえば、日本におけるＥＢＰＭの実践が、これまで取り組まれてきた内容とそれほど代わり映えしないという点は、ＥＢＰＭの今後を占う上で、大事なポイントです。鳴り物入りで登場した割には、これまでの取り組みと大きく変わらないということが明らかになれば、高まった期待感もすぐに萎んでしまいます。そうなると、ＥＢＰＭも一時の流行で終わることになるでしょう。

ところで、これまで政策評価の歴史とＥＢＰＭの展開をなぞってきたのですが、そこにある種の重なりを見出すことができるという点に、お気づきの方はいらっしゃるでしょうか。もっと言えば、ＥＢＰＭの今日の展開は、政策評価のかつての顛末をなぞるかのようなものなのです。どういうことでしょうか。

政策評価の潮流として、精緻な評価を行う「プログラム評価」型と、比較的簡便な手法を用いて、数字によりマネジメントする「業績管理／業績測定」型の二つがあるとするのが本書の立場でした。日本ではこれらの潮流が全く整理されることなく導入され、広まっていったという経緯は先に見た通りです。このように、「本来、厳密に言うと理論的にも実践的にも違うけれども、様々な理由によって、簡略化されたものが普及する」という流れは、今まさにＥＢＰＭにおいても見られている光景だと言えないでしょうか（ＥＢＰＭの場合は、ＲＣＴや高度な統計解析ではなくロジックモデルの導入と普及）。「有効性」に力点をおいていたはずの政策評価が、「効率性」に注目するものになってしまったのと同じような事態が、ＥＢＰＭにおいてもまた、起きているのです。

よって、ＥＢＰＭを考える上では、そもそもの本旨であるところの「有効性」に注目した取り組みであることを忘れないことが大切だと考えられます。ですが、それだけでＥＢＰＭの抱える問題が全て解決するわけではありません。「有効性」を担保するエビデンスがありさえすれば、政策がうまくいくとは限らないからです。この点を考えるために、以下では「エビデンス」の中身をもう少し深く考えていくこととしましょう。

第4章

エビデンスを掘り下げる

これまで、ＥＢＰＭの具体的な展開を見てきました。本章では、更なる理解を深めていくため、エビデンス概念を掘り下げていきたいと思います。

「エビデンス」をめぐる区分

①「広義」／「狭義」

改めて確認しておくと、ＥＢＰＭにおける「エビデンス」とは、政策の因果関係を示す情報です。したがって、ＥＢＰＭは政策の「有効性」≒「何が役に立つか」(What Works)を重視する立場であると言えます。ただし、「エビデンス」と一口に言っても、何をイメージするかは人によって異なりますし、常に質の高いエビデンスが利用可能であるわけでもありません。実際には様々な情報が「エビデンス」として取り扱われています。こうした用法は曖昧模糊（あいまいもこ）な面があり、議論が錯綜している感も否めません。

そこでまず、エビデンスを「広義」と「狭義」とに分けて考える、一般的な区分を参照してみましょう。この区分を参照した整理のうち、代表的なものとして、内閣官房行政改革推進本部事務局が研究者の協力を得て作成した『ＥＢＰＭガイドブック』があります[83]。図表4

図表4-1：エビデンスの類型とその具体例

<table>
<tr><th></th><th colspan="2">種類</th><th>内容</th><th>困窮世帯の子どもに対する支援策における具体例</th></tr>
<tr><td rowspan="4">エビデンス（広義）</td><td rowspan="2">データ、ファクト等</td><td>データ、ファクト</td><td>統計データ、ヒアリング等による現状把握のための情報</td><td>・困窮状態におかれている子どもの割合の推移
・経済状況別の子どもの進学率の推移
・困窮世帯に対する生活状況のヒアリング</td></tr>
<tr><td>将来予測</td><td>現状のまま推移した場合等の将来予測</td><td>・子ども数の将来推計
・困窮状態におかれる子ども数の将来推計</td></tr>
<tr><td rowspan="2">エビデンス（狭義）</td><td>定量的な因果効果</td><td>統計的手法等を用いて明らかになった政策の定量的な因果効果</td><td>・ランダム化比較試験によって明らかになった教育プログラムの効果
・生活習慣のよい子どもと悪い子どもの学力の比較</td></tr>
<tr><td>定性的な因果効果</td><td>定性的な手法を用いて明らかになった政策の因果効果</td><td>・フォーカスグループインタビューに基づいて明らかになった生活習慣改善プログラムの効果</td></tr>
</table>

出典：内閣官房行政改革推進本部事務局（2022a：22）から抜粋

‐1は、その整理の概要です。

この表によれば、まずエビデンスには「広義」のものと「狭義」のものがあります。「広義」のエビデンスは「狭義」のものも包含する概念ですが、ここではまず「狭義」に当てはまらない、「広義」だけに該当するエビデンスにはどのようなものがあるかを確認しましょう。

いわゆる「広義」のエビデンスとしてここで挙げられているのは「データ」や「ファクト」といったものです。たとえば、統計データやヒアリング等を含んだもので、それ以外としては将来予測等も該当します。こうしたエビデンスにおいては、これまで強調されてきた「因果関係」を示す情報だけでなく、ＫＰＩをはじめとした様々な指標も対象とされています。このような幅広い情報に基づいて政策を考えるという方策もまた、ＥＢＰＭの一環として呼称されている点に注意が必要です。

続いて、いわゆる「狭義」のエビデンスについて見ていきましょう。こちらに当てはまるのは、これまでの議論でも馴染み深い、ＲＣＴをはじめとした精緻な統計解析などの、政策の因果関係を明らかにする情報です。ただし、この整理においては、定性的な研究によって導き出された因果関係も「狭義」のエビデンスの範疇（はんちゅう）に含まれていることに注意が必要です。政策の因果関係を表す情報、と言えば大抵の議論では定量的な分析結果に焦点が当たることが多いのですが、この枠組みでは定性的研究もまた、政策の因果関係を明らかにする上で重要な役割を果たすと位置づけられています。このような整理を踏まえれば、「エビデンス」の内実には、いわゆる数字に代表されるようなデータだけでなく、様々なものが含まれるということが分かるでしょう。

②「政策効果把握」／「現状把握」[84]

「広義エビデンス」と「狭義エビデンス」のように、導出プロセス及びエビデンスの性質に着目した区分のほかに、「政策効果把握のためのエビデンス」と、「現状把握のためのエビデンス」という、用途に着目した区分もあります。こちらもメジャーで、至る所で用いられていますが、「広義エビデンス」と「狭義エビデンス」との関係はやや曖昧です。ここでは、公共政策学者の奥田恒氏の整理をもとに、議論を進めていきたいと思います。

「政策効果把握のためのエビデンス」は書いて字の如く、ある政策介入において効果があるのか否かを明らかにするものです。これらには上述の「狭義エビデンス」に該当する、ＲＣＴに代表される精緻な手法によって導出される知見が主として位置づけられます。

では、「政策効果把握のためのエビデンス」と、「狭義エビデンス」は同義なのでしょうか。確かにこれら二つは重なるケースも多く、先に挙げた**図表4-1**はその点をほとんど同一視しているようです。しかし、こうした理解は少し単純かもしれません。

たとえば、RCTのような高度な手法を通じて得られた政策の因果関係にかかわる情報については、必ずしも政策介入を伴わない知見も含まれます。人間の健康に関する研究は、喫煙や食生活に関する健康の因果関係について取り扱ったものもあります。これらは高度な手法を用いて因果関係を明らかにしたものですが、政策介入の結果を分析したものばかりではありません。言うなればこれらは、「狭義エビデンス」の範疇にありつつも、「政策効果把握のためのエビデンス」には入らない知見です。なので「政策効果把握のためのエビデンス」は、「狭義エビデンス」よりも更に狭いものだと解せます。

これに対して、「現状把握のためのエビデンス」には将来推計やKPIをはじめとした各種指標など、幅広い情報が当てはまります。KPIのような業績に関わる指標、数字も該当するでしょう。このように列記すると、「現状把握のためのエビデンス」は、上述した「広義エビデンス」と同義であるようにも見えます。ですが、ここでも注意が必要です。

というのも、「現状把握のためのエビデンス」の中には、高度な解析を通じて得られた知見も存在しうるからです。健康に関する情報で言えば、どのような食生活が人間の健康寿命と関係があるのかについて、信頼性の高い因果関係を示したものもあります。二酸化炭素の排出による地球温暖化などもその一例ですが、これらは「狭義エビデンス」に該当しつつも、私たちの現状把握を大いに助けてくれています。したがって、「現状把握のためのエビデンス」には「広義エビデンス」しか該当しないとする立場は、議論をやや単純化しすぎていると指摘しなければなりません。

そもそも、「現状把握」の内実は極めて多義的です。たとえば、新型コロナ感染症の感染状況については、日本国内のみならず、他国のデータとの比較も盛んに行われました。それらのデータが導く判断は、客観的に状況を把握するのみならず、「〇〇国に比べて日本の対策はダメだ」といった規範的な判断が付随したものでした。環境問題対策や、ジェンダーギャップ等、他国との比較を通じて喚起される議論においてもまた、同様の規範的判断が導出されることが多いのではないでしょうか。これらの情報の中には、「狭義エビデンス」というよりは、「広義エビデンス」に該当するものもあるでしょう。ですが、エビデンスの用途に着目したとき、「広義」なのか「狭義」なのか、その区分をはっきりとつけるのは簡単ではないことは明らかであるように思います。

図表4-2：各「エビデンス」概念の関係

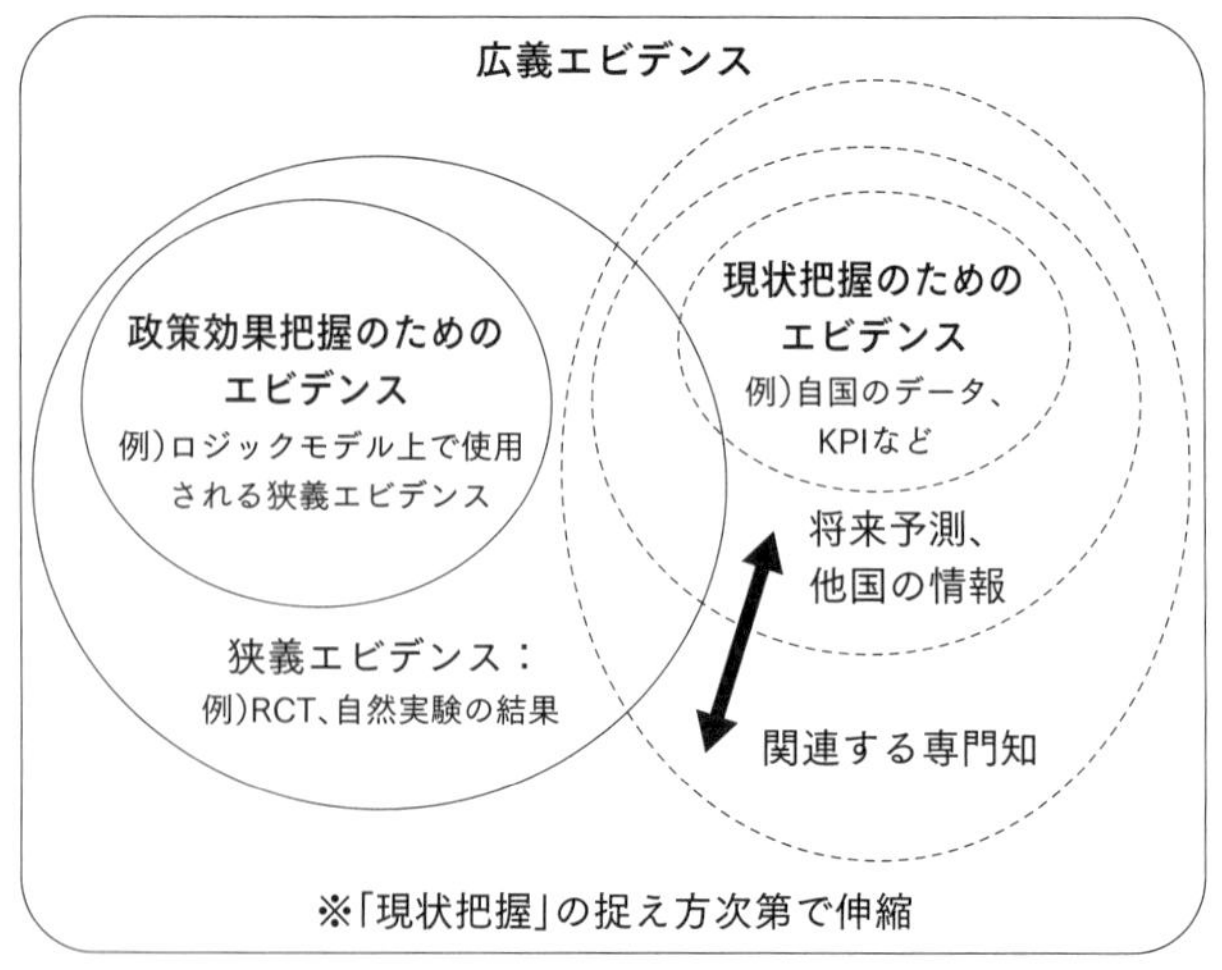

出典：奥田（2023：48）を一部改変

　こうした点を指摘した奥田氏は、何が「現状把握のためのエビデンス」であるかは、「現状把握」の捉え方次第でその範囲が変わるものであり、時には「狭義エビデンス」と重なりうるという視座を提供しています。**図表4-2**は、奥田氏によって作成された、エビデンス概念の特殊性を示した概念図です。[85]

　この整理にしたがえば、「現状把握のためのエビデンス」と「政策効果把握のためのエビデンス」の区分を採用してエビデンスを論じる際には、とりわけ前者の幅に注意して議論を進める必要があると言えそうです。

ロジックモデルの位置づけ

先に見たように、日本のＥＢＰＭではロジックモデルの活用が主流となりつつあります。では、ロジックモデルは「広義エビデンス」、「狭義エビデンス」、「政策効果把握のためのエビデンス」、「現状把握のためのエビデンス」のいずれに該当すると言えそうでしょうか。

まず、「広義エビデンス」と「狭義エビデンス」から見ていきましょう。ロジックモデルそのものは、あくまでも想定、仮説であると先に佐藤徹氏の議論を用いて述べました。この点から考えると、ロジックモデルそのものは「狭義エビデンス」というよりは、「広義エビデンス」に当てはまると言えるでしょう。

ただし、ロジックモデルの中身に目を転じれば、議論はもう少し複雑です。たとえば、ロジックモデルの中の、「アクティビティ」から「アウトカム」、「インパクト」へと至る過程は、実のところ判明させるのは容易ではありません。なぜなら、あるインパクトが生じたのが、本当にその政策のお陰なのかは、判然としないからです。この点をはっきりさせるには、

RCTをはじめとした精緻な分析を用いなければなりません。よって、ロジックモデルにおいて、「アウトカム」や「インパクト」を正確に把握するために用いられる情報は、「狭義エビデンス」となります。[86]

以上を踏まえれば、「ロジックモデルは広義エビデンスなのか狭義エビデンスなのか」という問いは、「ロジックモデルによる」という答えに落ち着きそうです。もっとも、これまでも見たように、日本で用いられているロジックモデルの多くは、RCTのような「狭義エビデンス」が記載されておらず、「広義エビデンス」としての役割を果たしているものが多いと言えるでしょう。

続けて、「政策効果把握のためのエビデンス」と「現状把握のためのエビデンス」についてです。既に見たように、ロジックモデルの「アウトカム」や「インパクト」の発現に至る部分については、精緻な解析によって得られる「狭義エビデンス」が不可欠です。こうしたエビデンスが用いられていれば、ロジックモデルもまた「政策効果把握のためのエビデンス」たりうるとひとまずは言えます。

ただ、これはあくまでも理論上の話です。ロジックモデルの実際の運用に目を転じると、そのような用いられ方は必ずしも多くないことが分かるでしょう。「再ロジックモデル化」

の事例を想起すれば分かるように、実際には既存の事業に改めてロジックモデルを当てはめてみる作業が一般的です。では、このようなロジックモデル作成には意義はないのでしょうか？　確かに、あらかじめロジックモデルを作成してデザインされたわけではない事業について、後からロジックモデルを作成しても、チグハグなものになりがちです。ですが、ロジックモデルの作成を通じて、少なくとも事業の全体像について概観することはできますし、そこに様々な情報を書き込めば、現状把握のツールとして役立てることも可能です[87]。この意味で、ロジックモデルは実際の運用を鑑みれば、「現状把握のためのエビデンス」として用いられている事例が多い、と言ってよいでしょう。

「エビデンス」の位置づけ

以上の検討によって、「広義」／「狭義」、「政策効果把握」／「現状把握」という区分がエビデンスをどう類型化するか明らかにされました。繰り返しになりますが、ＥＢＰＭのような政策を合理化しようとする試み自体は、真新しいものではなく、昔から見られたものです。しかし、「エビデンス」という言葉をテコにして政策の議論を振り返り、政策過程における議論を活性化させるという点において、ＥＢＰＭは紛れもなく新しい風を吹かせていると言えます。

たとえば、「政策効果把握のためのエビデンス」と、「現状把握のためのエビデンス」に関しては、双方とも政策決定に不可欠なはずですから、ＥＢＰＭが登場する以前から既にそうした類（たぐい）の情報は政策過程で活用されていたはずです。ですが、ＥＢＰＭという言葉が普及し、「エビデンス」についての吟味が深まる以前においては、今日ほど注目が集まって検討に付されたことは、あまりなかったのではないでしょうか。

このように考えると、ＥＢＰＭは、発想そのものはそこまで新しくないとは言いつつも、新しい議論を切り開いているという点で、十分な新規性を備えていると考えられます。更に、ＥＢＰＭにおけるエビデンスの役割はこれらだけにとどまりません。実際、政策過程におけるエビデンスの機能に目を凝らすと、これら以外にも、様々な要素があることが分かります。

以下では、エビデンスの内実をめぐる、もう少し深い議論を見ていくことにしましょう。

エビデンスとバイアス

ここまで本書は、どのような種類のエビデンスであれ、その情報は基本的には間違っていないものであると考えて議論を進めてきました。しかし、実際の政策過程において「エビデンス」として扱われる情報の中には、ある種の「バイアス」と呼ぶべき偏りがあるものも少なくありません。中にはバイアスのかかった情報が「エビデンス」として扱われる場合もあるのです。ＥＢＰＭという言葉が流行する以前から、政策過程においては様々な情報が扱われていたわけですが、「エビデンス」という概念に注目が集まったことで、この論点が更に洗練されつつあります。これはＥＢＰＭの流行がもたらした一つの成果であり、ＥＢＰＭの新しさを表している現象と見てよいかと思います。

ではエビデンスを見る上で、どのような「バイアス」があるのでしょうか。以下では、英国の政策学者、ジャスティン・パークハースト（Justin Parkhurst）氏の議論ならびに、それを参照している日本語文献を手掛かりに、この点を見ていきたいと思います。[88]

パークハースト氏はその著書、『エビデンスの政治学』（*The Politics of Evidence*）の中で、エビデンスを扱う際の二つのバイアスを指摘します。第一に指摘されるのが「技術的バイアス」（Technical Bias）で、第二が「イシューバイアス」（Issue Bias）です。前者は「科学的プロセスの政治化」、後者は「政策過程の脱政治化」がそれぞれ関連しています。

技術的バイアスとイシューバイアスはそれぞれ、「エビデンスの創出」、「エビデンスの選択」、「エビデンスの解釈」に影響を及ぼします。それらを整理したのが**図表4-3**です。[89]

「エビデンスの創出×技術的バイアス」においてはたとえば、タバコ業者のエビデンスに対する態度が挙げられます。喫煙の害を低く見積もるような研究デザインが採用され、それによって得られた情報を「エビデンス」として喧伝するのです。[90] タバコ業者に限らず、石油業界などが地球温暖化において似たようなことをしているとの指摘があります。自分たちの利益を守るため、二酸化炭素排出の規制を妨害したり、地球温暖化否定説を広めたりしているのです。[91]

「エビデンスの創出×イシューバイアス」については、「エビデンス」を導出する際に関連するバイアスが挙げられます。たとえば、ＨＩＶや結核、マラリアなどは関心が高く、予防や撲滅に向けて多くの資源が投入されています。それに対して、「顧みられない熱帯病」(Neglected Tropical Diseases, NTDs) と呼ばれる感染症があります。[92] 寄生虫や細菌などを媒体しており、中には身体の変形を伴う深刻なものも確認されています。こうした病に対策を講じるには、相応の治療体制や充実したエビデンスが必要なのですが、いくつかの理由で優先順位が低く設定され、十分な対策がとられていません。理由の一つが、死者数が少ない

図表4-3：エビデンスとバイアス

	技術的バイアス（科学的プロセスの政治化）	イシューバイアス（政策過程の脱政治化）
エビデンスの創出	・政策目標に都合よく研究を設計する ・思い通りの知見を導出するために研究デザインを途中で変更する	価値の選択及び、以下の事象が生じさせる価値の含意に関する曖昧化 ● リサーチトピックの選択（例：HIV／結核／マラリアなどと、「顧みられない熱帯病」） ● データの利用可能性や、エビデンス創出の実現可能性（例：周縁化されたり、不可視化されたりしている人々） ● アウトカムに換算される情報の選択（例：健康上のアウトカムとして測定される薬物注射の「害」や、適切な行動に関する「メッセージ」）
エビデンスの選択	「チェリー・ピッキング」と、所与の立場を正当化するための、データの戦略的なレビュー	政策オプションを「エビデンス・ベース」なものとして提示しつつ、関連する政策課題から得られたエビデンスを活用する
エビデンスの解釈	政策論議におけるエビデンスの誤った解釈（例：優先されている戦略のために因果関係を早まって解釈する、リスクに関する混乱した理解）	エビデンスの重要性に関する不当な理解（例：方法論の厳密さをそのまま、政策的妥当性の指標として解釈すること）

出典：Parkhurst（2017：59）より筆者作成

ことです。ＨＩＶやマラリアの死亡者数が年間約１００万人から２００万人にのぼるのに対し、ＮＴＤｓの死亡者数は50万人程度とされています。だからと言って、ＮＴＤｓ対策が無用ということでは全くないのですが、こうした違いはＮＴＤｓ対策が盛り上がらない原因の一つだと考えられています。また、ＮＴＤｓが発生する地域では、病を「恥」と捉える風潮があり、実態の把握すら困難というケースも珍しくないとされています。こうした状況においてはそもそも、「現状把握のためのエビデンス」の収集すら覚束ないため、「顧みられることがない」構造になっているのです。このような構造は、本来であれば政治的なテーマとして扱われるべきですが、エビデンスの有無だけで政策を判断するとき、そこに目を向けるのは極めて難しくなります。

「エビデンスの選択」×「技術的バイアス」では、本来は中立的、客観的に行われるべきエビデンスの選択が、ある特定の意図に基づいてなされる事態がここでは指摘されています。**図表４‐３**で書かれている「チェリー・ピッキング」とは、都合のいいところだけを選び取る、選り好みなどを意味する言葉です。

「エビデンスの選択」×「イシューバイアス」では、自分たちの提出するアイデアを「エビデンス・ベース」なものだと主張することによってバイアスが引き起こされます。たとえば、銃規制の問題を考えてみましょう。銃を持っている市民に対する犯罪者の振る舞いにだけ着目すれば、犯罪者は銃による反撃を恐れて過剰な攻撃は行わないでしょうから、銃を所持していた方が被害は少なくなります。このようなデータもエビデンスには違いないので、多くの人が武器を所持した方がよいという結論が導出されるでしょう。しかし、手軽に入手できる銃は、乱射や誤射による事件などにも繋がるほか、自殺に使われることもあり、深刻な問題となっています。これらのエビデンスを参照すれば、銃規制は強化されるべきだという結論が得られるはずです。このように、「犯罪者から身を守る」という事象か、「銃による自殺や事件」のどちらに着目するかで、エビデンスに基づいていたとしても、全く異なる含意が得られる場合があります。

「エビデンスの解釈」×「技術的バイアス」の場合には、ある特定の政策課題を推進したいがあまり、限られたエビデンスを拡大解釈することなどが挙げられます。時系列上の問題でパークハースト氏自身は指摘していませんが、たとえば新型コロナ感染症の時に、一部の研究者らが真偽不確かなデータや検証を提出したことがありました。パンデミックのような緊急事態にあっては、このような現象は度々起こるものと言えるのかもしれません。

「エビデンスの解釈」×「イシューバイアス」では、方法論の厳密さが担保する因果関係に固執するあまりに陥るポイントが指摘されます。たとえば、ある薬の効力が大量のＲＣＴの解析によって明らかになっていたとしても、その薬が社会的に有用であるかどうかは別問題です。痩せる薬や美容に関する薬のエビデンスがあったとしても、それらを政策的に支援してよいかどうかは議論が必要でしょう。あるいは、予防の方が費用が安く、健康のためにもよい場合であっても、ＲＣＴの解析が充実しているのはしばしば治療の側面であることから、エビデンスにこだわると治療に偏った政策になりがちだという指摘もされています。

これらのバイアスは、たとえどれだけ精緻なエビデンスを積み重ねたところで、解消されるものではありません。したがって、政策に活用されるエビデンスを吟味するにあたっては、その因果関係の強さを見ているだけでは不十分です。政策過程においてエビデンスを吟味する際には、様々な角度からそれを検証する必要があるからです。以下ではその手掛かりを探っていきましょう。

「適切なエビデンス」とは何か[93]

こうしたバイアスを前提としたとき、私たちはエビデンスをどのように検討すべきなのでしょうか。パークハースト氏は三つの知見を参照して整理します。

第一に挙げられるのが「政策研究」(Policy Studies：政策学）です。政策研究と一口に言ってもその内実は多様ですが、ここで念頭におかれているのは、政治学者のハロルド・ラスウェルがかつて提唱した「政策科学」(Policy Sciences）です。ラスウェルは政策科学の使命として、「問題志向」(Problem-oriented）を掲げます。問題志向とは読んで字の如く、問題を同定し、その解決に資する知見を提供することです。ラスウェルは更に、「問題志向」の前提として社会に存在する様々なイシューを吟味し、「目的を明確化すること」が大事であると強調しました。今日の「政策研究」は、ラスウェルの「政策科学」と幾分違う点はあるものの、基本的な要素を引き継いでいます。したがって、政策研究においても、「目的の明確化」は大事なポイントとされています。

これはＥＢＰＭにとって鬼門の一つです。というのも、ＥＢＰＭはある目的達成にあたって効果的な手法を導出することには長けていますが、そもそもの目的は何なのか、それが妥当なものなのかといったことを論じることはできません。それらの問題は、いわゆる「政治」の領分だからです。ただ、最近は「目的」の同定すらもエビデンスで行うべきだとの主張も見られるなど、議論に更なる展開が見られます。この論点については後に見ることとして、ここでは、政策研究が提供する「目的の明確化」及び、目的の妥当性を吟味する視点などは、ＥＢＰＭの知見に頼っているだけでは得られないものだということを確認しておきましょう。

第二に挙げられるのが、「社会学的視点」(Sociological Perspectives) です。社会学の中でも、知識社会学や科学技術社会論と言われる分野は、「知識」というものが、規範やイデオロギー、更には権力構造によって影響されていると考え、様々な枠組みを提供してきました。こうした発想は、「社会構成主義」と呼ばれる立場に近いものです。一口で説明するのは難しいのですが、要するに「真理」や「事実」、「客観性」などは絶対的なものではなく、社会的に作られたものに過ぎないとする考え方です。[94] こうした考えは極端にも聞こえるかもしれませんが、今日では更なる議論の展開が見られる、重要な学術的テーマの一つです。詳しくは専門書をあたって読んでほしいのですが、このような見方はＥＢＰＭに対しても一定の含意を与えています。

パークハースト氏は社会疫学の研究を引きつつ、どのような定義で社会調査を行うかによって、エビデンスの在り方が異なるという事例を示していますが、ここでは別の論者の指摘を見てみましょう。ピーター・トリアンタフィロウ (Peter Triantafillow) 氏という、批判的な枠組みを駆使して政治行政を論じる研究者がいます。彼はＥＢＰＭに関して様々な批判を繰り出しているのですが、興味深いものの一つに、エビデンスの導出に関するものがあります。トリアンタフィロウ氏は、ＲＣＴをはじめとした、介入を伴う社会実験の多くが、貧困層をはじめとした、いわゆるアンダークラスにまつわるものであることを指摘します。返す刀で彼が指摘するのは、汚職や腐敗といった、いわゆるアッパークラスが関与する問題についてのエビデンスがほとんどないという事実です。介入及び操作が容易な、政治的な影響力のない集団においてでしかエビデンスを集められない現実があり、ＥＢＰＭもそうした政策分野に偏ってしまうという構造的な問題があるとの指摘がなされます。[95]

　このような、社会構造に起因する不平等、不公正といった問題を処理するには、政策の有効性に注目するＥＢＰＭの枠組みだけでは不十分です。社会学は、このような社会のありようについて、様々な視点から研究してきたディシプリンであり、これらの論点を考究する上で、適した枠組みだと考えられます。

　第三に挙げられるのが、「科学哲学」（Philosophy of Science）です。日本ではまだメジャーではありませんが、米英圏では科学哲学者によるＥＢＰＭに関する論文が数多くあります。科学哲学者たちがＥＢＰＭについて論じる際に取り上げることの多いトピックが「因果性」（Causation）です。科学哲学においては、ある二つの物事について、それらを「原因」と「結果」として結びつけるものは何なのかをめぐる議論が昔から繰り広げられてきました。古くは哲学者のデイビッド・ヒュームによっても提起されたこの因果性の問題は、今日に至るまで研究が続いている科学哲学の一大テーマです。これは大事な論点ですので、少し長くなりますが解説しておきましょう。

ヒュームの喩えは次のようなものです。ビリヤードの球が二つあり、片方の球を棒で突いてもう片方の球に当てると、最初の球は止まって、当てられた次の球が移動します。私たちはこの光景を見て、「最初の球が次の球に当たったことで運動を引き起こした」と解釈します。ここに因果関係を見出すわけですね。しかし、ヒュームはここに因果関係が本当にあると言っていいのか、と疑問を投げかけます。最初の球が次の球を押し出したことを、実際に我々は経験していません。多くの人はそうとしか見えないと思うかもしれませんが、直接的に観察していない以上、「因果関係がある」とは言い切れないとヒュームは考えます。[96]

ヒュームは哲学的に言うと、「経験主義」といった立場に位置づけられます。この立場においては、人間の経験が重視され、経験していない限りは、ある物事が存在する、とは言えないとされます。前の喩えで言えばビリヤードの二つの球のあいだの因果関係について我々は、単に観察しているだけで、実際に経験したわけではありません。したがってヒュームは、そこに因果関係があると明言できない、と考えます。物事の因果関係が、結びついているヒモのように、はっきりと目に見えるかたちで存在していれば話は簡単なのですが、そうではないため、物事のあいだの因果関係を論じるために、様々な方策が講じられてきたわけです[97]。

抽象的な話で、政策とどう関係があるのか、と思われる方もいらっしゃるかもしれません。科学哲学がもたらした含意の中で大事なものの一つは、物事の因果関係は簡単には分からないという洞察です。EBPMにおける「エビデンス」でとりわけ重視されているのが政策の因果関係であったことを想起してもらえると、科学哲学とEBPMの接点が分かることでしょう。

こうした科学哲学の知見を踏まえてEBPMについて積極的な発信を行っているのが、ナンシー・カートライト（Nancy Cartwright）氏です。カートライト氏は、EBPMが主として依拠するRCTについて、次のように指摘をしています。なるほど確かにRCTは、政策の因果関係を把握する上で有効かもしれない。しかし、それは果たして普遍的な結果と言えるのでしょうか？

教育政策を例にとりましょう。あるカリキュラムの教育効果をRCTで検証し、効果があったとします。舞台が岩手県の場合、果たして東京都の生徒たちにも同じようなカリキュラムをやって効果があると言えるでしょうか。薬をはじめとした治療は、普遍性の高い人体メカニズムを前提としています。つまり、岩手県に住んでいる人であろうと、東京都に住んでいる人であろうと、治療に対しては同じ結果が得られる可能性が高いのですが、公共政策はそう簡単にはいかないわけですね。カートライト氏はこのことを、「ここでうまくいった政策が、あそこでもうまくいくのか」という、印象的なフレーズで指摘しています。[98] 実験は様々な条件を統御し、理想的なデータを用いて分析しています。これに対して政策の場合はそれが実施される現場の文脈、様々な条件について、全てを考慮に入れることは、極めて難しいのです。[99]

カートライト氏は『エビデンスに基づく政策：よりよい取り組みのための実践的ガイド』という共著本の中で、「ここでうまくいった政策」が「あそこでもうまくいく」という予測を成立させるには、その想定を支える様々な論拠を細かく検証する必要があると論じています。[100] ただ、こうした要素を全て渉猟することは困難ですし、この点についてカートライト氏らも明確な提案を出しているわけではありません。[101] カートライト氏らが強調したことは、公共政策における因果関係を考えるとき、その因果を構成する要素に目を凝らす必要があると

図表4-4：「適切なエビデンス」の要件

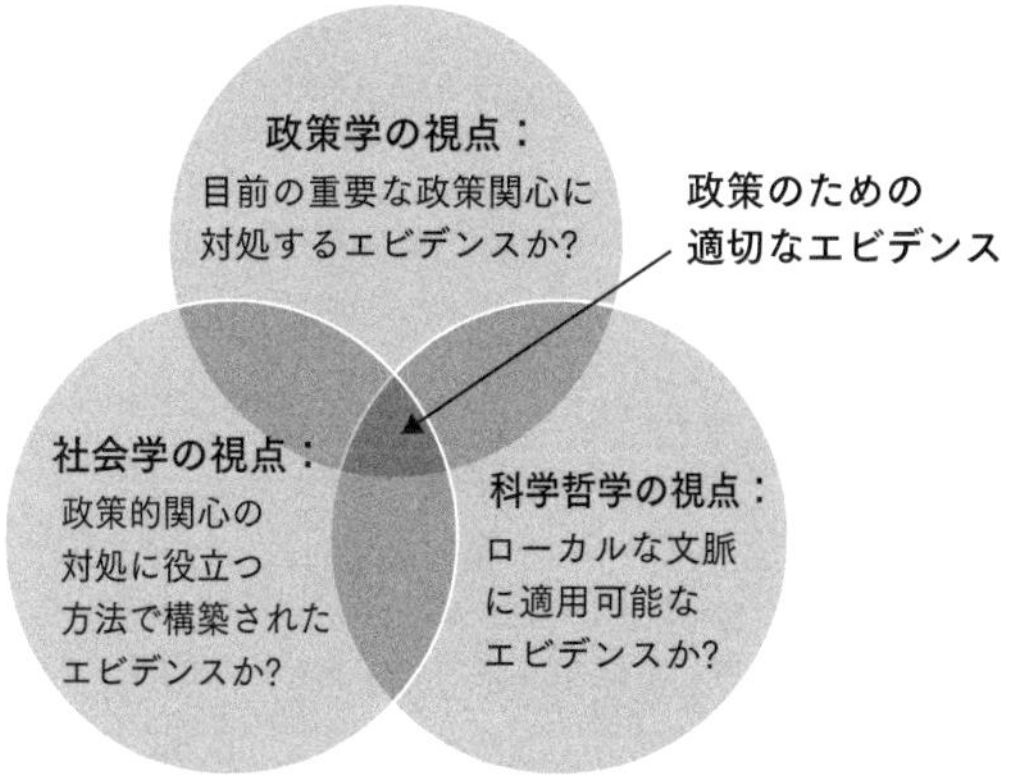

政策学の視点：
目前の重要な政策関心に
対処するエビデンスか?

政策のための
適切なエビデンス

社会学の視点：
政策的関心の
対処に役立つ
方法で構築された
エビデンスか?

科学哲学の視点：
ローカルな文脈
に適用可能な
エビデンスか?

出典：Parkhurst（2017：118）ならびに奥田（2023：56）より筆者作成

いう点です。実際にこれに取り組むのは容易ではありませんが、今後のエビデンス論を充実させる上で、こうした視点は欠かせないものだと言えるでしょう。

なお、ある特定の集団に対する介入に効果がある可能性が高い場合（もう一度同じ介入を行えば同等の効果が再現される可能性が高い）には、「内的妥当性が高い」などという言い方がされます。これに対して、介入の効果解析を行ったある特定の集団以外にも、同様の介入をした場合に、同じ効果が再現されるかどうかに関しては、「外的妥当性」という言葉が使われます。もし、他の集団に対する介入でも同様の効果が得られれば、「外的妥当性が高い」等と言われます。要するに、単一のＲＣＴで検証したとしても、「内的妥当性は高い」とは言えますが、「外的妥当性が高い」とは言い切れないわけです。[102]

図表４‐４はこれまでの議論を踏まえてパークハースト氏が作成した図です。[103] 政策過程においてエビデンスを活用するにあたっては、因果関係や情報の正確さのみならず、多様な要素が備わっていることが必要だというのがパークハースト氏の理論の核心なのです。

「エビデンスのよいガバナンス」構想

エビデンスについての理解をより深めるため、パークハースト氏の構想をもう少し掘り下げていきましょう。

エビデンス活用に潜むバイアス、更に「適切なエビデンス」の枠組みを明示したパークハースト氏は、「エビデンスのよいガバナンス」(Good Governance of Evidence) 構想を打ち出し、政策におけるよりよいエビデンス活用の在り方を示します。

先に示した三つの学問（政策学・社会学・科学哲学）の視点は、あくまでも研究上の視点が主でした。これに対して、「エビデンスのよいガバナンス」の構想においては、「適切なエビデンス」の要件を基盤としつつ、エビデンスが実際に活用される過程を想定し、何がよりよいエビデンスの活用を可能にするのかについて、包括的なヴィジョンが示されています。**図表4－5**（145ページ）は、「エビデンスのよいガバナンス」の構想を表したものです。[104] その構想においては、エビデンスを創出し、活用するにあたって必要とされる八つの要件が提示されています。**図表4－6**（146ページ）はそれらの要素の一覧です。[105]

「適切性」とは、上述した三つの学問にも関連しますが、とりわけ科学的な知見のみならず、それが政策に活用されるにあたって妥当な知見か否かが重視されます。**図表4－5**では、「政策の関心に適したエビデンス」と記されていますが、エビデンスの適切さとは、因果関係のような、旧来のエビデンスの厳格さとは別の基準で設定されるものであることに注意してください。

続いて「質」です。これは**図表4－5**では「質の高いエビデンス」とされています。「エビデンスのよいガバナンス」においては、エビデンスの質の高さについては相対化されるような論調がありますが、エビデンスの質が低くても構わないなどという議論ではありません。たとえば、国民全体に関わる政策等を決定する場合には、エビデンスのハイアラーキーが役立つこともあります。

「厳密さ」は、政策において活用されるエビデンスが厳密であることを要求するものです。先に述べた「バイアス」の問題とも関係しますが、エビデンスが政策過程において活用される際に生じうる様々な恣意性をできるだけ排除することがここでは掲げられています。

「管理責任」は、エビデンスを活用するにあたっての公的責任の所在に関するものです。助言機関の権限、それをどう設計するかを含め、アカウンタビリティを明確にしておくことが重要だとされています。

「代表」においては、エビデンスを創出する機関と意思決定を行う機関とのあいだの権限や役割が含まれています。エビデンスはあくまでも意思決定者に対して参考となる情報を与えるだけで、それに沿った決定を下すかどうかは、あくまでも意思決定者に委ねられています。当然、エビデンスを無視した意思決定を下したならば、その妥当性について意思決定者は説明を行う責任があります。

「透明性」は、エビデンスの創出から活用に至るまでのプロセスをできるだけオープンにしておくことで確保されます。因果関係が重要な要素であることは確かですが、ここまで見てきたように、エビデンスの内実はそれにとどまるものではありませんし、場合によっては政治的な意図、利権などで歪曲されていることもあります。透明性を担保しておくことによ

図表4-5：エビデンスのよいガバナンスの枠組み

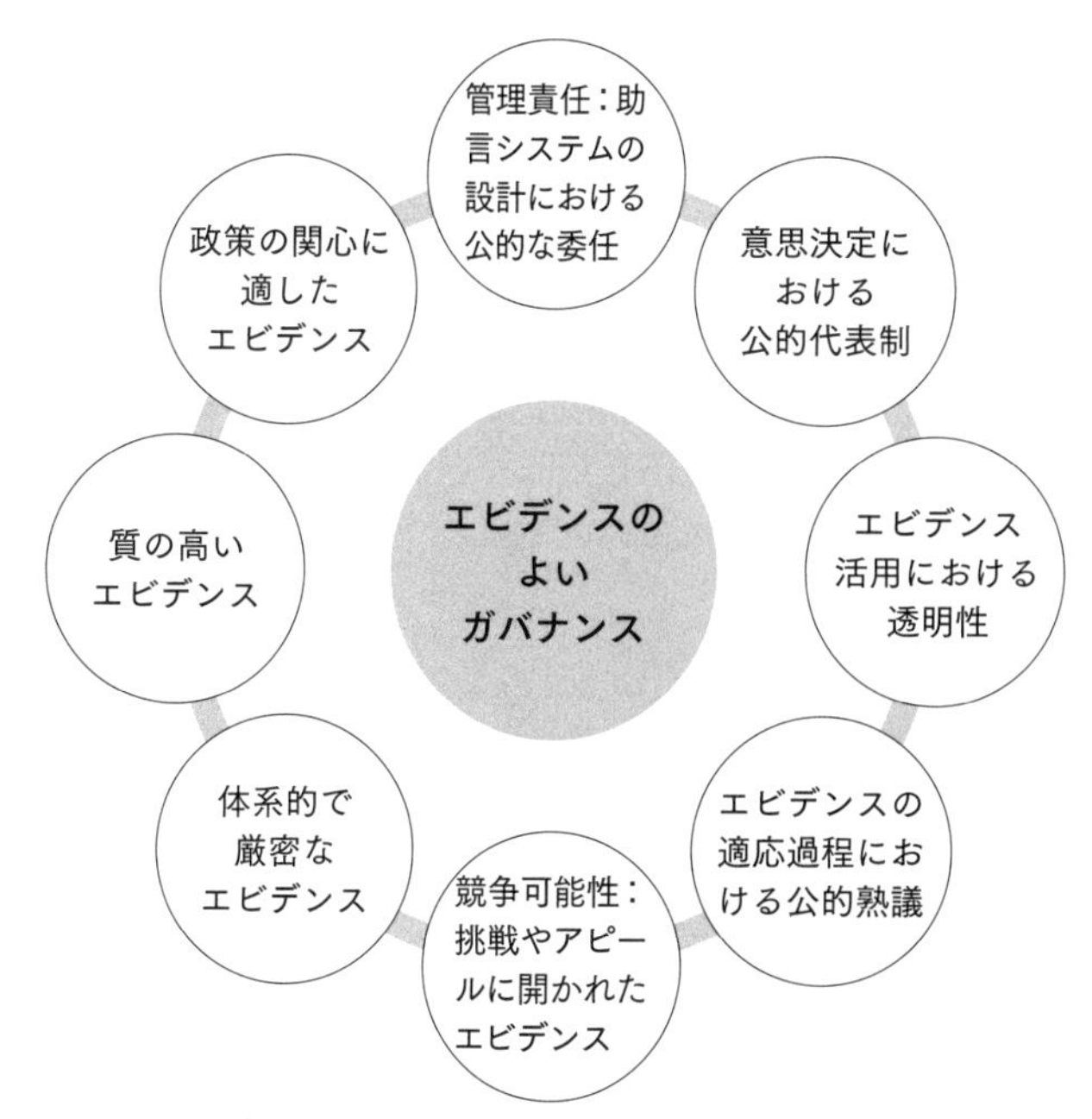

出典：Parkhurst（2017：163）より筆者作成

コンセプト	定義と内容	アプローチの例
管理責任（Stewardship）	ルール設定に携わる主体と公的なエビデンスの助言機関は、公的な権限を持つべきである。	・政府のエビデンスに関する助言システムの設計、変更は、権限を与えられた主体であることを保証する。 ・制度的な取り決めを定める管理者（stewards）による、国民へのアカウンタビリティの確保。 ・公的な権限や説明責任がない主体による制度の構築を阻止する。
代表（Representation）	エビデンスに沿って政策の最終決定を下す権威は、民主的に代表されているとともに、公的なアカウンタビリティがある。	・公的な代表者の決定権限を維持し、必要に応じて立法府と代表機関に技術的主体（Technical Agency）を無視、あるいは拒否する権限を与える。
透明性（Transparency）	決定を支持するエビデンスがどのように特定され、活用されているか、その方法を国民に向けて明らかにし、情報を公開する。	多様なメカニズムによって達成されうる。 例えば、国民に開かれたミーティングを開催したり、専門家集団の熟議の内容を出版したり、情報の自由に関する法律を制定することなどがあげられる。
熟議（Deliberation）	全ての関心が最終的な政策決定において選ばれる訳ではないとしても、多様な競合する価値観と関心を政策過程の中で考慮されるように、異なった観点に注意を払うなどといった方法をとって国民を関与させる。	イシューに関する直接的な公的協議については、市民陪審や市民パネル、計画細胞やコンセンサス会議等といった多様な公的熟議の実践によって補完することができる。
競争可能性（Contestability）	政策決定における技術的エビデンスと科学研究が、批判的な疑問や抗議に対して開かれている。これは、特定の科学的な発見に対する挑戦だけでなく、エビデンスが活用されている決定への挑戦をも含んでいる。	・意思決定に関するエビデンスを統合する機関に対する異議申し立ての、公的な手続きやルールの策定。 ・専門家の結論を精査し、ピア・レビューにかける。

図表4-6：エビデンスのよいガバナンスの枠組み

コンセプト	定義と内容	アプローチの例
適切性 **(Appropriateness)**	エビデンスの選択は以下のような要素を考慮に入れて行われる。 ・複数の社会的な関心に関連するエビデンスを選択する。 ・エビデンスが政策目標達成にとって使いやすい方法で創出されたものか。 ・ローカルな文脈への適応可能性を明示的に考慮する必要がある。	・「目標の明確化」を求めるか、複数の基準による意思決定分析と同様の方法を適応する。このためには、関連する意思決定の基準と、異なる考慮事項に関する優先順位づけに関するステートメントが初期段階から必要とされる。 ・エビデンスのソースに関して、その関連性と用法から批判的に問い直す。 ・エビデンスの外的妥当性と内的妥当性を分ける；適応する前に、ローカルな文脈におけるエビデンスの活用可能性を考える。
質 **(Quality)**	エビデンスの利用については、その質に基づいて判断されるべきである。しかし、その質の基準は、活用される研究の形態（例：質的研究VS臨床的実験）と、データ生成の性質（例：記述VS測定VS見積もり）に適する方法論的な原則が反映されるべき。	・検討中の研究の種類に基づいた基準の選択を伴う、エビデンスの判断基準の適応。介入効果が重要である場合には、既存のエビデンスのハイアラーキーの存在が役立つ場合がある。もしも国民の態度が問題であれば、サーヴェイ（の有用性※）はサンプルサイズによって判断することができる。同様に、将来のコストに関する問題については、それ自身が適切な質の基準をもつ経済モデル等が採用されるべき。
厳密さ **(Rigour)**	政策の考案に持ち込まれるエビデンスは、厳密に（包括的に）収集、統合されるべきで、エビデンスの選り好み（チェリー・ピッキング）を避けるべき。	・システマティック・レビューやラピッド・レビュー、リアリストレビューといった（エビデンスの※）統合における方法論に従う。 ・エビデンスをもたらす助言機関に十分な独立性を与える。

（※は杉谷による補足）

出典：Parkhurst（2017：161-162）及び、杉谷（2022：172-173）より筆者作成

り、エビデンスの創出や活用に問題がないかどうかが検証可能となります。

「熟議」は、民主的な政策論議を充実させ、エビデンスによる意思決定だけでは達成できない合意形成や新たな問題の発見などに資することが期待されます。とりわけ、政策課題の同定や、その解決手法が受容可能なのかどうかを吟味するにあたって、熟議の果たしうる役割は大きなものになると考えられます。

「競争可能性」は、複数の対立するエビデンスの在り方を前提とし、それらの相互批判を通じて政策形成ならびに政策決定を改善することを目指すものです。エビデンスの多元性を尊重しつつも、「何でもあり」にならないためにも、複数のエビデンスを突き合わせて吟味するプロセスはできるだけ公平であるべきでしょう。

パークハースト氏は、これらの要素の関係について、何かはっきりと述べているわけではありません。ですが、これらは相互に補強し合っているものだと見てよいでしょう。たとえば、「透明性」は「競争可能性」を担保する上で必要なはずです。「適切性」は、政策を実施する具体的な文脈を重視するもので、どこでも通用する普遍的な根拠を志向する「質」とは一見すると正反対なものに見えますが、相互に補い合う側面もあるのです。

このようにして、エビデンスの中身は多元的なものであるということを前提としつつ、政策に活用するにあたって考慮に入れるべき様々な要素を析出し、それらを踏まえて政策論議を展開し、政策の質を改善していく。これがパークハースト氏による「エビデンスのよいガバナンス」の大まかな枠組みです。

一連の議論を見ると、「エビデンスに基づく」(Evidence Based) と強く意気込んでいた割には、「エビデンスの中身も多様」、「エビデンス以外の要素も大事」と、何だかどんどん腰が引けているようにも見えます。「因果関係を示すエビデンスだけに依拠すべきだ」という一本槍では、どうやら限界があるようですね。そして、こういう姿勢を肯定的に捉え、そもそも「エビデンスに基づく」なんていう言葉遣いをすべきでない、という見解もあります。以下では新たな立場である、「ＥＩＰＭ」について見てみましょう。

Evidence-Informed Policy Making とは何か

エビデンスの多元化を踏まえつつ、ＥＩＰＭ (Evidence-Informed Policy Making) という言葉をＥＢＰＭの代わりに用いるべきだと主張する論者らもいます。「Informed」とは、「知らせる」などという意味がありますが、「Based」よりも控えめなニュアンスです。

図表4-7：エビデンスの社会利用のための5つの視点の軸

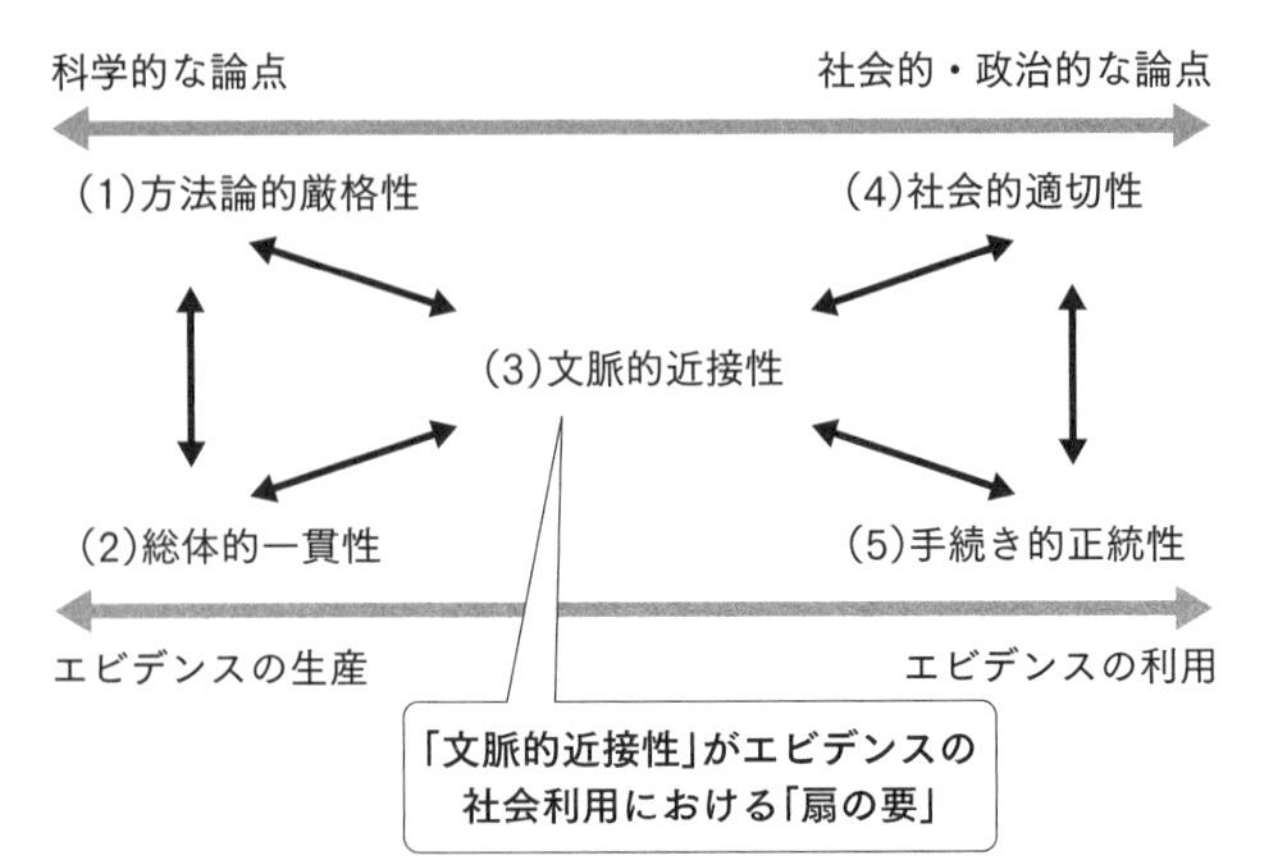

出典：林（2024：232）より抜粋

これまで見てきたように、「ＥＢＰＭ」は「基づく」というかなり強い言葉でエビデンスの活用を訴えつつも、その実、エビデンスだけでは政策は決まらないし、決められないということを前提に議論を進めてきました。「ＥＩＰＭ」を掲げることは、単なる言葉遊びではなく、エビデンスだけでは決まらない政策形成の現状を直視しつつ、エビデンスの多元性にも目を配った営為であると同時に、エビデンスは政策決定者が考慮すべきたくさんの情報のうちの一つだという厳粛な認識に立った議論だと言えます。[106]

ＥＩＰＭを支持する論者としてリスク研究者の林岳彦氏がいます。林氏はエビデンスの「よさ」をめぐって図表4－7のような見取り図を提示することで、議論に見通しを与えています。[107]

この図によれば、「よいエビデンス」を構成する要素としては、「方法論的厳格性」、「総体的一貫性」、「文脈的近接性」、「社会的適切性」、「手続き的正統性」の五つがあり、とりわけ「文脈的近接性」が重要だとされています。それぞれ見ていきましょう。

「方法論的厳格性」とは、科学的方法論に照らしたエビデンスの質の観点からの軸です。このように記すと、先に挙げた「エビデンスのハイアラーキー」が思いつきます。確かにそれも重要なのですが、ここでは高度な統計シミュレーションのような、いわゆる実験だけではない様々なアプローチも視野に入っています。あるいは、「何をどう測るか」といった、測定の質、指標の妥当性なども範疇にあり、単なる因果関係の厳格さだけにとどまらない要素がここには含まれています。

「総体的一貫性」とは、複数の知見の整合性という観点からの軸です。これまで見てきたように、ＥＩＰＭに代表される今日のエビデンス論議では、「ハイアラーキー」のような、一元的な評価軸ではなく、多様な視点でエビデンスを吟味することが重要とされています。しかし、だからと言って方法論も性質も異なるエビデンスをごた混ぜにしただけでは何の含意も得られません。そこで重要となるのがエビデンスの相互関係を踏まえ、それらのあいだの論理的な一貫性、あるいは矛盾といったものを見抜いて整理することです。このプロセスにおいては、質的調査ならびに量的調査に精通した専門家の関与が不可欠だと指摘されています。[108]

「文脈的近接性」とは、ある解析によって推定された因果効果が、どの程度普遍的なものなのか、という点に関わります。これは先に挙げた「内的妥当性」と「外的妥当性」の議論にも関わります。**図表4-7**では、文脈的近接性が、エビデンスを社会に実装するにあたって、「扇の要」であると規定されています。要するに、エビデンスがあるとして、それはどのような実験で得られたものなのか、たとえば東京で得られたエビデンスが、岩手県でも適用可能なのか、といったことを考慮し、それを確かめるための研究アプローチを考案することが重要なのです。[109]

「社会的適切性」は、あるエビデンスが倫理的、法的、社会的に適切かどうかといったことを問題とします。こうした問題はＥＬＳＩ（Ethical, Legal and Social Issues= 倫理的・法的・社会的な問題群）と呼称され、様々な研究が蓄積されています。たとえば、ある特定の介入が多くの人々の収入を増加させることが明らかになったとしても、それがマイノリティの人たちの暮らしを脅（おびや）かす効果がある場合には、その介入は実施すべきではありません。ＥＢＰＭをめぐる議論ではときどき、そうした側面を切り落とし、純粋に技術的な話をするのが正しい姿勢だ、という人がいますが、これはとんでもない間違いです。政策に活用する以上、その政策を倫理的に受け入れるべきかどうかも併せて検討しなければなりません。

「手続き的正統性」は、エビデンスの創出ならびに活用にあたって、適切な手続き、プロセスが経られているかどうかがポイントです。既に例示したような、タバコ業界による喫煙の害を恣意的に低く見積もるエビデンスの流布などが実際に起きており、ＥＢＰＭにとって深刻な問題となっています。このような一部の業界による、歪んだエビデンス創出はＥＢＰＭにとって当然、好ましいものではありませんし、便宜を図ってもらった政治家が、そうした歪んだエビデンスを積極的に活用することも避けるべきです。

　加えて、「利益相反」の問題も見逃すわけにはいきません。たとえば、教育関連の会社が政府に提出したエビデンスで、ある教育介入の効果が高いということが判明したとしましょう。ところが、その教育介入が、その会社が開発したものだった場合はどうでしょうか。政府がそのエビデンスを採用して、それに基づいた教育政策を展開するのは妥当とは言えないはずです。その教育介入に効果があるかどうかの検証は、少なくともその会社とは全く関係のない研究者が行うべきです。こうした点も、「手続き的正統性」から厳しく吟味すべきポイントとなります。

これら五点はいずれも、政策にエビデンスを活用するために欠かせない視点であり、今後、更なる探求が必要とされている分野と言えるでしょう。そして、ＥＩＰＭとはまさに、このようなエビデンスの多義性や複雑さ、政策に活用する際に付け加えなければならない、いくつもの留保を踏まえた上での用語に他ならないのです。

政策におけるエビデンス活用の留意点

本章では、「エビデンスを掘り下げる」と称して、ＥＢＰＭに関連するエビデンス概念の議論の進展を見てきました。本章の議論を改めて確認しておきましょう。

まず、政策におけるエビデンスとは、最も狭義に言えば政策の因果関係を指します。ただし、現実の政策過程に目を転じれば、そこには「広義エビデンス」、「狭義エビデンス」といった違いが見受けられます。これはいわゆるエビデンスの性質に関わるものですが、エビデンスの用途についての区分もあります。この区分は「現状把握のためのエビデンス」、「政策効果把握のためのエビデンス」とされます。この区分においては、「現状把握」をどう捉えるかによって、エビデンスの幅が伸縮するということに注意が必要です。

更に視野を広げれば、エビデンスの活用にあたっては、その性質や用途以外にも考慮しなければならない要素があることが分かります。パークハースト氏の議論は、エビデンスの「適切さ」という表現で、政策に活用されるエビデンスが備えておくべき要素を明らかにしました。それらを踏まえ、多様な要素の相互関係と、それらを多角的に吟味できる枠組みを彼は「エビデンスのよいガバナンス」と表現します。「ＥＩＰＭ」という表現もまた、このような事情を勘案した上で、ＥＢＰＭをより実態に即した表現にしたものだと解釈できます。関連して、エビデンスを評価する軸として、「方法論的厳格性」、「総体的一貫性」、「文脈的近接性」、「社会的適切性」、「手続き的正統性」といったものがあると指摘されています。

こうした議論を鑑みれば、単にエビデンスを活用しさえすれば、政策が合理化できるとの発想が単純だというのは明らかでしょう。社会に大きな影響を及ぼす以上、因果関係の証明だけでなく（疑いもなくそれは重要なのですが）、色々な要素を慎重に検討する必要があります。「政策を合理化する」というのは、エビデンスによって「有効性」が明らかな役に立つ政策をうまく使いさえすればよいなどという単純な話ではないのです。

それでは、一連の議論を踏まえてエビデンス論の中身をより詰めていけば、事態は改善していくと見てよいでしょうか。この方向の努力が大事なのは言うまでもありません。ですが、科学的な成果が自動的に政策に反映されるという想定も単純すぎます。実際の政策は官公庁をはじめとした組織によって実施されますし、その実施は政治の影響を受けます。こうした現実を無視ないしは軽視してしまうと、エビデンス論の進展が、ＥＢＰＭの改善に何ら貢献しないという事態を招いてしまいます。よって以下では、これまでの議論をまとめつつ、組織や政治、そして政策特有の問題の性質といった観点からＥＢＰＭの困難さを考えたいと思います。

第5章

政策の合理化はなぜ難しいのか

空転するアカウンタビリティ

先にも述べたように、現状の政策評価制度は形骸化していると指摘されることが多く、現場に行けば不満が渦巻いています。第２章でも援用した西出氏の指摘をいま一度振り返りましょう。それらは、「高い評価判定を評価結果として提示する評価行動メカニズム」、「評価結果が既存の政策情報に追従する評価行動メカニズム」、「中庸化された評価結果の情報を提示する評価行動メカニズム」です。

結局のところ問題なのは、政策評価がアカウンタビリティを果たすために用いられているのではなく、組織の中で業務を進めるためのルーティンの一環となってしまっていることにあるのだと言えそうです。この点は、先に指摘したアカウンタビリティの三つの問題のうちの二つ目、「アカウンタビリティを追及する主体」に大きく関わっています。大事なポイントですので、改めて確認しましょう。

政策評価の文脈で言えばアカウンタビリティとは、なぜその政策に取り組んだのか、その政策にはどれほどの効果があったのかなどを分かりやすく市民に伝え、それが満足いかない結果だったのであれば、相応の責任を負う必要があります。

　このアカウンタビリティを確保するために設計され、広まったのが政策評価だったということは、先に見た通りです。同時に、この想定にはある前提がありました。それはすなわち、「多くの人々は自分の住んでいる国（自治体）にいい政策を実施してほしいと思っている。よって、それを明らかにする政策評価ならびに政策評価結果に関心があるに違いないし、それを見て投票行動も変えるはずだ。政治家や行政もそれを意識するので、政策評価に真剣に取り組むだろう」といったものです。

　ですが、この想定は、敢えて言い切ってしまえば壮大なファンタジーに過ぎません。より詳しく言えば、正しいのは最初、つまり「多くの人々は自分の住んでいる国（自治体）にいい政策を実施してほしいと思っている」というところだけです。要するに、多くの人は、自分の住んでいる国や自治体に対していい政策を求めていても、それを実現するための政策評価に関してはほとんど関心をもっていないのです。本書を読んでいる方の中にも、自分の自治体の政策評価関連の情報を見たことがあるという人は、それほど多くないのではないでしょうか。

　こうした事態はなぜ起きるのでしょうか。いくつか原因があります。まず考えられるのは、ほとんどの人たちが政治や政策に関心がないという理由です。日本の選挙の投票率の低さは有名ですが、そもそも政治に関心をもっていないから投票に行かないという人は多いでしょう。ある知識の習得に必要なコストが、利益を上回っている場合、人はそもそも何も知ろうとしないというメカニズムを「合理的無知」と呼びますが、これが原因の一つだと考えられます。

更に、政治的知識の多寡が、投票先行動に影響を及ぼしている度合いも高くないとの指摘も一部にあります[110]。この指摘からは、政治的知識を得たことによって、「この政党や政治家はダメだ、他の投票先を探そう」と考える有権者が多くないという含意を得られます。このように、多くの人がそもそも政治や政策について十分な知識をもっていない上に、それらの知識が投票先を変えるほどの影響力をもっていないという事態は、政策評価が当初の想定通りに機能し得ないことと関連しています。

有権者が政策評価に関心をもっていないのであれば、政治家が関心をもつはずがありません。先ほどの「合理的無知」の議論のように、個々人は自分の利益を最大化するために行動すると仮定する見方を「方法論的個人主義」と呼びます。この見方に沿って考えると、政治家は「再選インセンティブ」をもって活動するとされています。政治家は次の選挙で再び当選することを最優先して行動している、という訳です。身も蓋もない話に聞こえますが、多くの政治家の活動を概（おおむ）ねこの理屈で説明できるとされています。

この想定に沿えば次のように言えます。政策評価の結果を踏まえて、悪い政策を終わらせることが再選に繋がるのであれば、政治家は政策評価の結果を気にするはずです。しかし、実際に多くの有権者は、政治家が政策評価を重視しているかどうかなどは気にも留めていません。政治家からすれば、自分の再選に繋がらない情報をなぜわざわざ気にしなければならないのか、という話でしょう。そもそも、政治家が下す政策判断には、エビデンス以外にも考慮しないといけない情報がたくさんあるのです。

政治家が評価結果を活用しない以上、官僚や公務員の側にもそれらを利用するインセンティブは働きません。評価の結果、効果がないと判明した政策であっても、政治的な思惑やそれによって生じた駆け引き等によって、無理やり続けられるといった事例も珍しくはありません。せっかく評価を頑張っても無力感にとらわれるかもしれません。また、自分たちが熱心に取り組んできた政策が、評価によって「効果がない」などと言われてしまうと、政策に携わる人々のモチベーションを低下させることに繋がります。「ダメ出し」ばかりになってしまうと、現場も評価を歓迎しなくなります。過剰なハレーションが問題となった事業仕分けを思い返せば、この点はシステムの持続可能性の観点からも問題であると分かるでしょう。

このように、政策評価によるアカウンタビリティの拡充という試みは、そもそも説明を求めていない（興味がない）大多数の人々に対し、行政の膨大なリソースを投入して山のような資料を作り上げるという帰結に至っています。当然、その資料はほぼ誰にも読まれません。これこそが、「空転するアカウンタビリティ」と呼ぶべき現象に他なりません。

第2章でも指摘した通り、このようなアカウンタビリティを追及する主体の不在は、単に行政監視のシステムを強めるだけでは解決できず、教育を含め、より広い視野での取り組みが必要となります。制度が導入されて20年以上が経過し、理想に現実が到達していない事実を直視すれば、解決は容易ではないことが分かります。

「理論と実践の乖離」

これら一連の事態は、言うなれば「理論と実践の乖離」が関係しています。上述した政策評価の想定も、理論的には隙がないものでしたが、実際に運用してみると、思っていた通りにはなりませんでした。政策の合理化が難しい理由の一つが、理論的な枠組みや想定が、常に現実通りにはならないことに他なりません。

こうした状況は、政策評価研究に対して暗い影を落としているのではないか、との指摘があります。本書で度々、その知見を紹介してきた行政学者の西出順郎氏は、１９９７年から２０２１年の25年間にわたる文献を調査し、「政策評価」もしくは「行政評価」がタイトルに付された書籍・雑誌記事・論文総数の推移を整理しました[111]。その結果、２００３年をピークに文献数は減り続け、その傾向に歯止めがかかっていないことが示されています。その理由について西出氏は、評価実務のダイナミズムを研究がうまく捉えられていないことにあると示唆しています。要するに、理論研究が実務の改善に貢献できないことが問題だとされているわけです。西出氏は上述した知見を開陳した論文のタイトルに、「政策評価研究の黄昏」という印象的なタイトルをつけ、政策評価研究がもはや斜陽産業になりつつある様を描いています。

翻ってＥＢＰＭはどうでしょうか？　これまで見てきたように、ＥＢＰＭに関しては、データを取り扱う学問の進展がブームを牽引しています。これらの成果は、今まで明らかにされてこなかった政策の効果の、より厳密な検証に結びついたり、既存の研究が見逃してきたエビデンスの新たな側面を明らかにしたり等、実際の政策の改善に大いに貢献しうるポテンシャルを秘めています。その意義はいくら強調してもしすぎることはありません。

しかし、このような学術の進展が、そのまま実践の改善に繋がるわけではないという点にも注意が必要です。政策評価が普及した際、種々の理由によって「プログラム評価」ではなく「業績管理／業績測定」を中心とした手法が広まっていったことを想起してください。政策評価にせよＥＢＰＭにせよ、実際にそれを動かし、運用するのは現場です。現場において持続可能な取り組みが不可能なのであれば、どれほど高邁な理論があったとしても、それは絵に描いた餅に過ぎません。結局、高度な分析を行うことのできる人材が、政府や自治体にどれだけいるのか、足りないとすればどうすればいいのかといったことを考える必要があるのです。

こうした点は、エビデンス論の進展についても同様です。既に見てきたように、科学哲学や政治理論の援用によって、ＥＢＰＭにおけるエビデンス論は様々な深化、発展を遂げています。このような理論の進展は、ＥＢＰＭの学術的探求に資することが期待されます。ただ、このような知見を実務に役立てるには、もう少し工夫が必要なのも確かでしょう。たとえば、「エビデンスのよいガバナンス」の図式を、ＥＢＰＭを担当する自治体の部署に見せたところで、彼らからすれば、どのように対応すればよいか、皆目見当がつかないのではないでしょうか。学術的な枠組みを発展させ、精緻化させることは、それそのものに大きな意義があります。同時に、それらが実践においていかなる役に立つのか、そうした視点を導入することが政策をどのように改善するのかという道筋をあわせて示さなければ、理論と実践の乖離はますます進み、「ＥＢＰＭ研究の黄昏（たそがれ）」が遠からず訪れることになるでしょう。

エビデンス論の進展を実務の改善に役立てるにあたって考えないといけないポイントの一つが、どの程度の情報を射程に入れるべきかという問題です。たとえば「文脈的近接性」を考えてみましょう。政策における「文脈」は言うなれば、政策に関わる社会状況、人口や地理などありとあらゆる条件を含みます。研究ではいくつかに分けられて整理も試みられていますが、網羅することはできません。[112] では、「文脈的近接性」を考慮するにあたって、どの程度の情報を収集しておけば十分と言えるでしょうか。実はここには、はっきりとした答えがないのです。少ない情報で十分な場合もあるかもしれませんし、膨大な情報が必要な場合も考えられます。あるいは、思いもしなかったような条件が重要になることもあるでしょう。

エビデンス論の発展は、因果関係のみを指し示す情報だけでは、うまくＥＢＰＭを展開することができないという重要な含意を我々に示しました。しかし、ならば具体的にどうすればよいかという点に関しては、まだまだ不確かな点が多いのです。このような先の見通せなさ、不確実性を伴う問題について、私たちはどのように考えればよいでしょうか。ここで手掛かりになるのが、「ウィキッド・プロブレム」と呼ばれる概念です。

ウィキッド・プロブレムとしての政策課題

政策課題はしばしば、「ウィキッド・プロブレム」(厄介な問題)であると言われます。ここで言う「ウィキッド・プロブレム」とは、次の四つの特徴を備えている問題のことを指します[113]。

① 問題の捉え方が社会の構成員ならびにステークホルダー間で異なっている
② 問題同士が相互に関連している
③ 対処するための知識が不足している
④ 不確実性が高い

これらの点は、いわゆる合理的な問題解決を困難にする要素として挙げられており、実例として新型コロナ感染症を挙げることができます。新型コロナ感染症はまさに、不確実性が高く、対処するための知識が不足しているという特徴に当てはまる問題でした。また、ロックダウンをすれば、経済に悪影響が出るという点では、問題同士が関連しているという特徴が当てはまりますし、どのような産業に従事しているか等によって影響も異なるという点で、捉え方が一様ではないというポイントも兼ね備えています。[114]

　こうした特徴を有する新型コロナ感染症ですが、世界中の研究者らの努力によってその実態が解明されていき、ワクチン開発も進んだことによって、③や④についてはある程度は緩和したと言えるかもしれません。とは言え、日本国内では政治的なリーダーシップの迷走、専門家と政治家の対立など、ＥＢＰＭにとっても多くの課題が残りました。あちらが立てばこちらが立たずという状況の中で、専門家の知見と社会状況のバランスをどのように取るかは、明確な答えがない難しい問題です。政策決定者たる政治家にとってエビデンスとは、勘案すべきたくさんの情報のうちの一つに過ぎないということは、多くの研究者らが指摘してきました。だからと言って、政治家がエビデンスや専門家の進言と異なった決断を、無条件でしてよいという話ではありません。その決断の妥当性について政策決定者は国民が納得できるように説明する義務があります。

ウィキッド・プロブレムはこのように、決まりきった答えがないばかりか、問題の定義すらも一様ではないという点で特殊な性質を有しています。このため政策形成にあたっては、問題の定義から始める必要があるうえ、それを誤れば処方箋たる政策も的外れなものとなってしまいます。[115] そして、問題の定義にあたっては、エビデンスだけでは決められない、「価値」の問題も同時に重要となります。新型コロナ感染症の際にはしばしば、「経済か命か」という問いが投げかけられました。当然、この問いの設定そのものも恣意的で完璧なものではありませんが、何を優先すべきか、どのポイントを重視して政策を決定すべきかについては、エビデンスだけでは決まらないのも確かと言えそうです。こうした決断の際には、私たちの社会がどのような価値観を大事にするのかという点への洞察や配慮が欠かせません。

政策と価値の問題については、本章の最後に改めて論じたいと思います。ここでは、ウィキッド・プロブレムという特有の性質が、合理的な問題解決を妨げている点について認識していただければ問題ありません。

「アカウンタビリティのジレンマ」

ウィキッド・プロブレムのような、不確実性が高い問題に対処しようとするとき、必要となるのは何でしょうか？

しばしば論じられるのが、「冗長性」の大事さです。たとえば、前節に挙げた新型コロナ感染症のパンデミックの際にも、行政現場に余裕がないことが問題視されました。こうした事態に際して指摘されたのが、「冗長性」、すなわち、普段なら「ムダ」と言われかねない人員を配置し、予算を配備しておくことの必要性です。[116] まさに、２０００年代の政策評価ブームにおいて目の敵にされた「ムダ」こそが、実は我々の社会にとってかけがえのないものだったという指摘です。

更に、ウィキッド・プロブレムに対応するにあたっても、こうした「冗長性」は一つの武器になります。不確実性の高い中、予想だにしていないことが起きた際に迅速に対応するには、普段から組織にも余裕が必要だからです。当然、一昔前にあったと言われている、やりたい放題のムダや天下りのようなものを復活させるわけにもいきませんから、その点は十分に注意する必要があるでしょうが、かなり正鵠を射た指摘に思われます。

一連の見解は、災害やアクシデントが起きる度に、識者によってしばしば唱えられるもので、確かに説得力もあります。ただ、同時に考えなくてはならないのは、行政に様々な業務を任せることによって生じる更なる問題です。先に述べた「アカウンタビリティのジレンマ」がここでは重要なポイントとなりますので、もう少し詳しく解説しましょう。

改めて言うと「アカウンタビリティのジレンマ」とは、アカウンタビリティを担う者が、相反する要求に直面してジレンマに陥る状態のことを指します。[117] 具体的にはたとえば、手続き的な正統性を遵守すれば効率性や迅速性は損なわれます。この二つを同時に満たすのは不可能とは言わないまでも、容易なことではありません。重要なポイントは、アカウンタビリティを遂行するにあたって、手続き的正統性も迅速性も、双方が大事だということです。要するに、「何で所定の手続きを無視したんだ」と言って責められることもあれば、「何でもっと早く行動しないんだ」と言われることもあるのです。当然、ケースバイケースではあるのですが、どの場合において、手続きより迅速さが優先されるのか、といった難問が数多く残されています。

評価に関してはこのジレンマは更に深刻なものになります。アカウンタビリティを遂行するための資料作りに時間をとられ、本業が疎かになるからです。評価はあくまでも本業にちゃんと取り組んでいるかどうかをチェックするためのものだったはずなのですが、それをやるがあまり、肝心の本業に支障が出てしまう。こうした事態に直面している人は少なくないのではないでしょうか。

　思えば、我々大学教員もまた、「アカウンタビリティのジレンマ」の真っただ中にいる存在です。日々、様々な会議や業務、書類作成に追われ、なかなか研究時間が確保できない、と嘆く大学教員は珍しくありません。「自分たちはこれだけちゃんと研究している」、「不正はやっていない」、ということを証明するために、膨大な資料を準備する必要があります。まさしく「アカウンタビリティのジレンマ」ですね。ただ、残念ながら不正行為に手を染める大学教員は後を絶たず、このような措置がやむを得ないという面も否定できません。この点で、私が所属している研究者の業界にも「自浄能力」が求められているのかもしれません。

　話を戻します。「冗長性」が重要だと言う指摘は全くその通りですが、それらを運用、管理していくコストも同時に考える必要があります。行政が大量の財やサービス、人員を抱えると、それらの存在意義を定期的に行政自身が説明しなければなりません。あるいは、それらを緊急時に迅速に手配するためのメカニズムの整備・維持も大変でしょう。

　要するに、たとえ行政の側に余裕をもたせるべく資源を大量に投下したとしても、それらを適切に管理、運営していくためのコストがかかり、かえって大変になるのではないか、という懸念があるのです。管理すべき資源や人員がたくさんあればあるほど、アカウンタビリティのジレンマは深刻になります。痛ましい人身事故が起きる度、「人はミスをするのだから、ミスを前提にした仕組みを作ることが必要なんだ」という見解が多くの人によって示されます。これは全くの正論でありその通りではあるのですが、そのような仕組みは大抵の場合、面倒な手続きを増やすことに繋がります。「チェックリスト」の確認などはその典型でしょう。確かにミスを減らすという点でこうした取り組みは効果がありますが、限度を超えた規制や規則でがんじがらめにしてしまうと、現場の活力がかえって削がれてしまいます。「アカウンタビリティのジレンマ」とはこのように、「合理的にしようとすればするほど、かえって非合理的になる」という構造を備えた、極めて厄介なものです。こうした点は、次節に見るように、科学としてのマネジメント（管理）の在り方を追求することの限界とも関連しています。

「アート」と「サイエンス」の狭間で

いくら精密なエビデンスがあったところで、それをもとに政策を作って運営する組織がうまく動いていないならば、ＥＢＰＭは成立しません。政策そのものの中身は、これからの努力でかなりの程度、合理化できるかもしれませんが、組織の運営の合理化は簡単ではありません。それこそが、理論と実践の乖離を生んでいる要因の一つに他ならないのです。

結局のところ、科学的な根拠に基づいた問題解決を導入し、またそうした手法で組織を運用しようとしても限界があるという事実を、我々は認めなければなりません。そして、この制約の中で、どこまでが可能でどこまでが不可能なのかを考えていかなければなりません。

図表5-1は、「アドミニストレーション」(Administration)と「マネジメント」(Management)の違いを表した行政学における議論をまとめたものです。[118]

アドミニストレーションとマネジメントはそれぞれ、「アート」と「科学」という、対照的なものです。ポイントは、政策を推進する行政においては、アドミニストレーションとマネジメントの双方が必要だという点です。

そして、ＥＢＰＭや政策評価、ＮＰＭといった、これまで見てきた政策を合理化しようという試みは、行政における「マネジメント」の領域を広げ、政策をよりよいものにする企図のもとで展開されたものだったと概括できそうです。

ただし、よりよい仕事のためには、どうしても「アドミニストレーション」の領域は残りますし、行政が提供する多種多様な公共サービスを全て「マネジメント」の視点で処理でき

図表5-1：アドミニストレーションとマネジメントの違い

	アドミニストレーション（Administration）	マネジメント（Management）
本質	Art（技芸）	Science（科学）
仕事の対象	Policy（政策）	Execution（執行）
志向	Values（価値）	Facts（事実）
場	Upper（幹部・上級）	Lower（現場）
組織編制方法	Echelons（階層制）	Echelons（階層制）
計画として	Strategy（戦略）	Tactics（戦術）
視点	Qualitative（定性）	Quantitative（定量）
性質	Human（人間特性に着目）	Material（物に着目）
態度	Reflective（受け身）	Active（主体的）
仕事の性質	Generalism（一般・全体）	Specialism（専門・部分）
たとえると	アドミニストレーターは哲学者	マネージャーはテクノロジスト
主たる仕事	目的の形成	ルーティンでプログラム作成

出典：湯浅（2021：20）を一部改変

るという発想は単純に過ぎます。この二つは相補的な関係にあり、どちらの方が優れている、というわけではありません。

いわゆる「科学」とそれ以外の観点から政策を見る発想は、政策研究においてもポピュラーで、公共政策学においては「アート」と「サイエンス」の分業として論じられてきました。[119] 役割は論者によって微妙に違うところもあるのですが、たとえば「サイエンス」は、政策の因果関係の同定をはじめとした、ＥＢＰＭの得意分野です。これに対して「アート」は、政策の設計、組み合わせ等に携わるアクターの裁量が大きく、科学的な知見だけでは遂行できない領域です。そこには実践知と呼ばれるような、実践を通じてでしか培われない知識や、ある特定の地域や文脈においてでしか通用しない、「現場知」と称される知識も重要です。ＥＢＰＭにおいては、こうした知識は往々にして軽視されがちですが、政策の成功にとって重要だと指摘する論者もおり、政策が一筋縄ではいかないことを表しています。[120]このような領域に対しても、マネジメント的な発想を持ち込んでしまうと、現場はうまくいかなくなってしまいます。だからと言って、現場の裁量を野放図に追認していいわけでもありませんが、この辺りのバランスは極めて難しく、正解のない問いでもあります。

こうした観点は、前章で論じた「エビデンスのよいガバナンス」とも関係しています。エビデンスの多元性を前提としつつ議論を深めていくにあたって、行政組織のありように目を向けることは大事なポイントの一つです。言うなれば、「エビデンスのよいガバナンス」の在り方を可能にするのが、「アドミニストレーション」と「マネジメント」の適切な協働だと言えるでしょう。

ここまでの議論で、ＥＢＰＭを考える上で考慮に入れておく必要のある要素をいくつか検討してきました。これらの観点は言うなれば、官公庁をはじめとした、政策を立案、実施する行政側の視点です。ですが、政策は行政側の視点だけで論じていても限界があり、やはり「政治」のありようについても考える必要があるでしょう。タバコや温暖化といったトピックと関連付けて、これまで断片的に触れてきたポイントでもありますが、次節では改めてこの点について考えていきます。

「政治」という条件

政策の合理化を妨げる大きな要件として、「政治」の存在を欠かすことはできません。エビデンスが支持する政策があったとしても、肝心の政治が言うことを聞いてくれなければ、EBPMなどは所詮、絵に描いた餅に過ぎません。これまで度々見てきたように、お金をもった会社や業界団体がエビデンスを歪める事態というのも、珍しくないのです。

また、こうした事態は新型コロナ感染症のパンデミックに見舞われた日本でも見られました。専門家と政治家の対立、的外れな政府の対応は、とりわけ緊急事態における政策の難しさを浮き彫りにしたと言えます。[121]

このような悲惨な事態を目の当たりにすると、「政治」を排除した政策作りを可能にする仕組みが熱望されるかもしれません。すなわち、政治に邪魔されることなく、専門家の決定をそのまま反映できるような仕組みが好ましいのではないか、というわけです。

専門家、専門性による支配体制は一般に、「テクノクラシー」と称されます。テクノクラシーの構想については、ＥＢＰＭが話題にのぼるはるか以前から度々議論の的となってきました。こうした議論が絶えない背景の一つには、民主主義がとりわけ、中長期的な対策を苦手としていることがあります。こうした事態は「民主主義の近視眼」として論じられてきました[122]。

気候危機問題をはじめ、人類が直面する極めて大きな問題に対して、政治は有効な手立てを打てているでしょうか。残念ながら、心もとないと言わざるを得ない状況が、世界中で見られます。したがって、汚職や腐敗にまみれた政治をできるだけ遠ざけ、良質なエビデンスを踏まえた政策形成を進めていくことが求められているとの提案は、それほど突拍子もない話でもないのです。

しかしながら、政治を放逐すればよりよい政策ができるとの発想は、やはり安直に過ぎると言わざるを得ません。日本における公共政策学の第一人者である足立幸男氏は、政治の本質を、「むき出しの暴力の噴出を何とか回避しようとすること」に求めます。[123] ここで言う「暴力」とは、戦争やクーデターのような武力の行使に他なりません。この観点からすれば、暴力の噴出たる戦争は、「政治」の破綻に他ならず、これを回避するためなのであれば、どれほど拙（つたな）くとも「政治」を続けていく値打ちはあるとされます。[124] かなり消極的な擁護に聞こえますが、戦争がもたらす惨禍を踏まえれば、こうした立論にも大いに説得力があります。何より、このような暴力の噴出は、エビデンスだけで防ぐことは不可能なのです。最悪の事態を避けるには、時には妥協も必要とされるでしょう。このような側面を積極的に評価する視点もありうるわけです。

「政治」にはもう少し積極的な意義を見出すことができます。前述した「ウィキッド・プロブレム」のような問題に対処する場合、合理的な問題解決手法の導入だけでなく、価値観を含めた議論が不可欠です。ウィキッド・プロブレムの考察で名高い政策学者、ブライアン・ヘッド（Brian Head）氏は、政策課題における「価値」の重要性に注目した議論を展開しています。[125]「価値」をすり合わせるにあたっては、やはり政治の役割に注目しなければなりません。ヘッド氏はステークホルダーとの協働などを、問題対処の手掛かりとして挙げていますが、私たちがどのような社会を望ましい社会として捉えるのか、といった価値観を取り扱うには、エビデンスだけでは不十分だということなのでしょう。

このような発想は、いわゆる「政治行政二分論」と親和的です。この考えでは、価値観や利害といった要素の調停は政治が行い、その結果、定まった目標に向かう合理的な手法を採用し、政策を推進するのが行政の役割だと整理されています。この整理にしたがえば、まさにＥＢＰＭとは「行政」側の問題で、「政治」が決めた目標に向かって、エビデンスが支持する質の高い政策を形成、実施するという構えであると定められます。

ただし、「価値観とか難しいことは政治にお任せします。ＥＢＰＭはその政治が定めた目標に向かう手法を提供するだけです」という態度は、必ずしも適切とは限りません。これまで見てきたように、エビデンスはその創出から活用に至るまでの間に、様々な機能を発揮します。エビデンスが提示されることで社会に対してある種のメッセージを送ることもあるでしょうし、エビデンスの有無が問題のフレーミングまで決めてしまうこともあります。また、どれほど聡明な研究者であったとしても、あらゆるバイアスから自由というわけにはいきません。エビデンスが政策過程に投入された瞬間、それは政争の具にもなりうるのです。この点を了解せずにＥＢＰＭを推進することは、危ういと言わざるを得ないでしょう。

「政治が定めた目標に盲従するＥＢＰＭ」を別の角度から批判する向きもあります。経済学者の成田悠輔氏はその急先鋒とも言える存在です。成田氏は、ベストセラーとなった著書、『22世紀の民主主義』の中で、選挙を中心とした現行の民主主義のシステムは機能不全を起こしていると指摘します。すなわち、半分近くの人が選挙に行っていませんし、そもそも年齢の人口比率に大きな差がありますから、正確な民意の測定に選挙は適していないとの立論です。[126]なかなかに説得的な指摘と言えるでしょう。

こうした状況のもと、成田氏が掲げるのが、「無意識民主主義」とされるものです。これは、人々が生み出す膨大なデータを集計、解析することで、民意をリアルタイムで計測、把握することによって可能になります。もはや時代遅れとなった選挙の代わりに、最新の技術を応用し、それによって政治によって右往左往してきた「目的」をも「エビデンス」に基づいて決めてしまおう、というのが成田氏の社会構想です。ＥＢＰＭを本気で貫徹させようとするのであれば、意思決定の在り方から恣意性を排除しなければならないというわけです。

成田氏の提案は、汚職や腐敗が絶えず、民意を正確に代表できていない議会の構図等を鑑みれば、魅力的に響くかもしれません。ただ、これまで見てきたように、こうした見立ては政策におけるエビデンスの働きを単純化したものであり、おいそれと同意するわけにもいきませんし、「ウィキッド・プロブレム」たる政策課題に対処するにあたっては、エビデンス一辺倒だけでは不十分な局面もありうるのです。

なお、こうした「政治」をめぐる議論は、ＥＢＰＭ以前からありました。これまでにも議論を見てきた、評価研究者の山谷清志氏は、地方自治体に広まった政策評価の特徴として、「脱政治」を挙げています。[127] 政策の経済的合理性や、適切な行政マネジメントを実行するために、政治的中立性が標榜され、「科学的」な行政のありようが目指されました。

しかし、これもよく指摘されることではありますが、ある特定の政策分野において、どのような評価基準を優先するかといった議論は十分に政治的なものです。政策評価が流行した当時の日本は、冷戦体制が崩壊し、社会党が弱体化していく中で、政治の対立をめぐる構図が変化するただ中でした。こうした中で、イデオロギー対立から距離をおいた「改革」が注目されるようになってきました。[128] 政策評価はそうした、「改革」の道具として出現し、一気に広まっていったわけですが、そうした「改革」もまた、ある特定の政治的な思惑を背景に推進されてきたことも軽視すべきではないでしょう。[129]

このように考えると、政策の合理化という試みを遂行するにあたって、政治を遠ざけることは、かえって問題を悪化させるとさえ言えるのではないでしょうか。だとすれば、これまで障壁だと思われてきた政治を、いま一度、政策の合理化というプロジェクトに引き戻す方途を考えるべきでしょう。[130]

政策の合理化がなぜ難しいのかという原因の一端は、政策の合理化を妨げている政治的な要因を除去しさえすれば、ユートピアが訪れるという安易な発想にこそあったと言わなければならないのです。

第6章

ＥＢＰＭのこれから

本書ではここまで、政策評価の歴史からＥＢＰＭの展開、エビデンス論の状況を見た後、政策の合理化がなぜ難しいのかについてまとめてきました。

それでは、ＥＢＰＭはこれからどのような道を歩んでいけばよいでしょうか。政策評価の教訓を踏まえ、我々にできることとは何でしょうか。大風呂敷を広げることとなりますが、こういった点について、考察していきたいと思います。

EBPMの新しさと古さ

展望について語る前に、改めてＥＢＰＭについて本書が辿り着いた知見を確認しておきましょう。これまで色々な議論を見てきましたが、結局のところＥＢＰＭは新しいのでしょうか、それとも表面だけが新しくて、中身は古いアイデアに過ぎないのでしょうか。答えは両方ともイエスです。

ＥＢＰＭの新しさについて論じるにあたって、まず触れなければならないのが、「エビデンス」を生み出すための各学問分野の大きな進展です。

この背景として、データ収集ならびに利用のコストが低下していることが挙げられます。

政策の効果を見る際に必要になるのは様々なデータです。それらを収集するには大きな手間やコストがかかっていましたが、近年はあらゆる情報がデジタル化されており、行政のみならず企業にも膨大なデータが蓄積されています。これらを利活用することによって、これまで明らかにされていなかった政策の因果関係や社会のメカニズムが解明されていきます。こうした成果は、よりよい公共政策の立案に繋がることでしょう。

また、こうした膨大なデータセットを分析するための手法も発展しています。因果推論をはじめとした統計的手法の洗練化によって、これまでよりも高いレベルで政策の効果を検証することができるようになりました。

日本をはじめ、多くの国においてＥＢＰＭは、データを扱う経済学者らによって牽引されていますが、これは決して偶然ではありません。大量のデータを分析するツールを備えた経済学は世界中の研究者がしのぎを削る研究フィールドであり、日々たくさんの知見が創出されています。このような事態は、数十年前の政策評価ブームでは見られなかった事態であり、ＥＢＰＭの新しい側面であると言えるでしょう。

それと同時に、ＥＢＰＭの発想そのものは、決して真新しいものではないということも、本書では確認してきました。ＰＰＢＳから始まった、人類の「政策の合理化」という見果てぬ夢は、日本では政策評価として広まりました。政策評価はブームとなり、少なくない功績を残しました。しかし、国と自治体での運用が始まって20年以上が経過し、制度疲労はもはや隠せないものとなっています。こうした状況下で出現したＥＢＰＭは、異なるバックグラウンドをもって生まれましたが、その目指すところは「政策の合理化」という、政策評価と同じものです。政策評価が辿ってきた試行錯誤は、ＥＢＰＭにも少なからぬ教訓をもたらすことになるのではないでしょうか。

何を「ＥＢＰＭ」と呼ぶか？

本書の議論を踏まえたとき、ＥＢＰＭのこれからを占う上でいくつかの論点があることが分かります。第一に指摘できるのは、結局のところ我々は何を「ＥＢＰＭ」と呼べばよいのか、という論点です。

かつて私は、著書の中で、ＲＣＴをはじめとした精緻な手法によって効果を導出した政策を実施していく取り組みを「科学志向型ＥＢＰＭ」と名付け、それ以外の様々な情報を用いた取り組みを「実用志向型ＥＢＰＭ」と称して区別しました。[131] この区別に対しては、ネーミングが適切でないとか、安易ではないかとのご指摘もいただいたほか、従来の取り組みと代わり映えしないものを「ＥＢＰＭ」と呼称してよいのか、という疑問もあるようです。

これは答えのない、なかなか厄介な問いです。いわゆる「狭義エビデンス」を活用した取り組みのみを「ＥＢＰＭ」と呼称し、それ以外の有象無象を「紛い物のＥＢＰＭ」として斬り捨てるのも、議論の混乱を避けるという意味では確かに有用かもしれません。政策評価の流れと同様に、ＥＢＰＭにおいても「有効性」が軽視されているような状況を鑑みれば、このような主張には一層、説得力があるように思います[132]。

とは言え、諸外国においても「ＥＢＰＭ」の名の下で繰り広げられている実践が多種多様になってきていることを踏まえれば、このような方針にどれほどの意味があるのかは吟味する必要があります。厳密なエビデンスが利用可能な局面はやはりまだ少なく、ＥＢＰＭの定義を厳密化すれば、極めて僅かな取り組みのみがその対象となり、今日ほどの盛り上がりは見せなかったはずです。

もう少し別の視点で考えてみましょう。「ＥＢＰＭとは厳密なエビデンスに支えられた政策を同定し、その実行を目指すものだ」と極めて狭い定義で考えたとき、問題となるのはその「実行」の中身です。というのも、エビデンスをはじめとした情報を政策に活用するのは、実は思われているよりも簡単ではないからです。

ある情報が示されたとして、そこから自動的に新しい政策が導き出されるかと言うと、話はそう単純ではありません。これはＥＢＰＭに関しても同様です。ある特定のエビデンスが示されたとしても、それを参照すべきかどうかは議論の余地があります。先に指摘した文脈的近接性や倫理といった様々な要素を勘案すれば、ある政策を実施すべきか否かの判断は簡単ではないことが分かるはずです。加えて、特定の政策を実施して満足いく結果が出なかった場合、誰が責任を負うのかという問題も残されています。それを推奨した研究者やコンサルは多くの場合、責任を取ることはありませんが、そうした姿勢が自治体や行政の現場に不信感をもたらしている可能性はゼロとは言い切れないのではないでしょうか。

狭い定義でＥＢＰＭを推進しようと考えた時にもう一つの問題があります。それは、知識を活用する経路です。前に見たように、国では主として行政事業レビューにおけるＥＢＰＭ推進を掲げています。[133] 数多くの事業を限られた時間で検討する行政事業レビューは、その性質から言ってＥＢＰＭとの相性はそれほどよくありません。そのような行政事業レビューがＥＢＰＭ推進の場として選ばれた理由の一つとして、新しい知識を政策過程に投入する回路が限られていることが関係しているかもしれません。[134]

要するに、ＥＢＰＭをやると言っても、どのようなかたちでやるのかが問題になるわけです。優れたエビデンスによって、質の高い政策案を導き出したとしても、それを政策過程において提案する経路がなければ、ＥＢＰＭは単なる絵に描いた餅で終わります。行政事業レビューにおいてＥＢＰＭが重視されるようになったのは、利用可能な枠組みだったからだという理由もそれなりに関係していると考えられます。また、ＥＢＰＭのために新しい制度を一から作るというのは、リソースの関係から考えると、現実からかけ離れた机上の空論に過ぎないと言わざるを得ません。

ＥＢＰＭを仮に、研究においても花丸がつけられるような優れた政策アイデアを提示するだけにとどめ、それ以降の活用については全く触れないものだとすれば、厳密なエビデンスを用いていないものを、「紛い物」として斬り捨てることはできるでしょう。しかし、そこまで戦線を後退させてしまうと、これまでも多く見られた実効性の薄い、ありふれた政策提言と何ら変わらないものになってしまいます（それはそれとして無意味では決してないのですが）。そことは一線を画し、政策形成の具体的な改善にまで踏み込んでいるからこそ、ＥＢＰＭは妥協を強いられているわけです。

何の考えもなく、既存の仕組みを使うだけで「ＥＢＰＭ」と称することにも当然問題はあります。用いるツールや情報によって、政策のどの部分を明らかにするかが変わってきますし、本書でも指摘したように、「有効性」を大事にするはずが「効率性」を重視してしまうというすり替わりも起きてしまうからです。この点で、現行の日本のＥＢＰＭは不十分な吟味しか行われておらず、課題が多いことは間違いなさそうです。同時に、既存の取り組みが不十分なままであるとするならば、どのような代替案があり得るかを考える必要があるでしょう。エビデンスに支えられたよりよい政策案を出しさえすれば、素晴らしいアイデアを出しさえすれば、自動的に政策が改善されるなどということはあり得ないことを踏まえつつ、このことを最後に考えていきたいと思います。

ＥＢＰＭのこれから

政策の合理化を語る上で、重ねて強調しておきたいのは、評価の精度と手間は常に比例するということです。膨大な手間をかければよりよい精緻な評価結果が手に入ります。日本の場合、数多くの評価を広く薄く評価する、「全数評価」が一般的でした。行政事業レビューにおいても、数多くの事業を扱っていますが、その全てで、厳密なＥＢＰＭをやるのはやはり無理筋です。このような発想が出てくること自体、EBPMならびに政策評価についての理解が政府内で十分でないことをうかがわせます。「有効性」と「効率性」の違いについても、その区別がしっかり認識されているのか怪しい面があります。

したがって、「EBPM」という言葉の意味を幅広くとるならば、いわゆる「狭義エビデンス」を用いる少数精鋭のいくつかの目玉となる取り組みをやりつつ、大多数においては、「広義エビデンス」を幅広く用いた活動を推進するかたちになろうかと思います。もちろんこの方針は議論含みですので、今後も更なる考究と実践が必要とされていくでしょう。

同時に考えなければならないのは政治との関係です。政策評価が政治を切り離して政策を合理化できると想定して行き詰ったように、政治の側がエビデンスを重視しなければ、EBPMは机上の空論で終わってしまいます。本来であれば、アカウンタビリティを機能させるために、有権者が政治家を選ぶ基準として、政策評価の情報等に着目するなどといったことをすべきです。しかし、こうした想定にはかなり無理があるということも確かです。答えはないのですが、今後、大事となるであろう論点に絡めて、三つの観点から指摘しておきたいと思います。

一つ目は、政策評価の結果をもっと分かりやすく市民に伝えるという論点です。こうした視点は、意外なことに政策評価研究でもあまり顧みられてこなかったのですが、評価研究者の池田葉月氏が近年、意欲的な成果を発表しています。[135] 池田氏の研究では、イラストが付されている評価報告者、評価結果を動画で伝える試みなど、興味深い実践が多数報告されています。専門用語と細かい数字ばかりの文書は、多くの人にとってハードルが高いはずです。EBPMにおいても、エビデンスが指し示す内実、それがいかなる意味や含意をもっているかについて、行政や専門家が分かりやすく伝える必要があります。

こうした方針は、研究者らによる取り組みでも見られます。日本でも、英国の「ツールキット」を参考に、エビデンスを分かりやすく伝える、「EBPMデータベース」の取り組みが始まっています。[136] 研究者らが諸外国の研究レビューを通じて、エビデンスの質を評価し、それを分かりやすくHPで伝えています。私も少しだけお手伝いしていますが、本書でも論じてきた文脈の問題をはじめ、まだまだ越えなければならないハードルは多いのが正直なところです。ですが、エビデンスを政策の現場に分かりやすく伝える本格的な実践が始まっていることは、日本におけるEBPMの前進を表していると言ってよいでしょう。

二つ目に指摘できるのは、いわゆる「ポスト・パンデミック」における政策評価の在り方の模索です。2020年から世界を襲った新型コロナ感染症は世界を震撼させ、私たちの暮らしに大きな影響を及ぼしました。既にかなりの部分で「日常」が戻りつつありますが、今でもその余波は続いており、新しい感染者も増え続けています。こうした事態は評価の実践に大きな課題を投げかけています。たとえば、パンデミックの初期には迅速な対応が必要とされました。こうした事態にうまく対応できた国もあれば、そうでない国もあります。[137]日本の政策評価システムが、パンデミックに対してどのように対応したのかについて、細かい点等はまだ検証の途上ですが、緊急事態にあって既存の社会システムがうまく作動できていないのであれば、不断の見直しが不可欠でしょう。

不幸なことに、パンデミックは日本だけでなく全世界を襲いました。世界が同じ経験をしたわけです。ですが、経験は同じでも対応はそれぞれの国で異なりました。政策評価やEBPMも、それぞれの国ごとに特色のある対応がなされました。こうした比較を通じて、日本の社会システムを改善する方策が見えてくるかもしれません。[138]同じ経験をしたからこそ、比較から得られるものは多いはずです。

三つ目に考えるべきは、政治の役割です。これまで行われてきた「政策の合理化」の試みは、政治を迂回していました。このため、政治的なアクターはほとんど話題にのぼりませんでした。ですが、政策の存廃を決め、予算を決定するのは政治のはずですし、たとえば議会はそうした機能を有しています（これは国政であっても地方政治であっても同じです）。政策評価から連なる政策の合理化という試みにおいては、言うなれば行政と市民が直接繋がることが想定されてきました。しかし、これは代議制民主主義という制度から見て、自然と言い切れるでしょうか。誤解を招きかねないので急いで付け加えると、そうした取り組みを禁止すべきだと言っているのではありません。こうした取り組みを続けるとともに、政治家もまた、思い付きではなく、既存の研究成果に基づいた実践に目配りすることが必要なのではないかと問題提起したいのです。[139]

既に指摘したように政治家は多くの場合、再選が最も強い目的ですから、その目的に合致しなければエビデンスを活用した議論などしないでしょう。結局、有権者がしっかりするしかない、という話に戻ってしまうのですが、この実現は簡単ではありません。こうした議論は、「教育をキチンとやりましょう」というような話に落ち着くことが多いように思います。それはもちろん大事なことです。しかし、同時に既存の仕組みをどれだけ賢く使うかも考えなければなりません。

発想を変えてみましょう。今直面している課題は逆にチャンスかもしれません。たとえば最近、特に地方議会では、なり手不足が指摘されており、定員割れを起こしている議会も少なくないと聞きます。こうした事態は地方自治の危機であると同時に、今まで政治とは無縁だった人が参入する契機にもなりえます。こうした新陳代謝の活発化は、議会の役割をより積極的なものに変化させることに繋がらないでしょうか。

　このような見立ては相当に楽観的です。しかし、政策の合理化はもはや行政の努力だけでは達成されないということを認識すれば、よりよい政策のためには、政治を巻き込んだ試行錯誤が今こそ必要とされていることが分かるはずです。政策評価の指標を活用するにあたって、リーダーシップが重要ではないかとの指摘も踏まえるならば、優れた政治家を中心とした指導体制を構築し、評価を適切に活用する方途を真剣に考える必要があると言えます[140]。その道のりは平坦ではありませんが、これまでの実践から適切に教訓を導出すれば、一歩とは言わないまでも、半歩は前進できるかもしれません。

　完璧な政策も完璧な政治もこの世に存在しません。ですがそれは、人間が完璧ではないからです。完璧でない我々が少しでも社会をよくするためには、過度な楽観も過度な悲観もしりぞける態度こそが必要です。こうした態度を保ち続ける難しさが、政策の合理化を困難にしている理由の一端でもあるのです。

おわりに

「我々は月に人を送り込むことができるのに、なぜゲットー（貧民街）の問題を解決できないのか？」

有人月面探査を達成するほどの科学力を有していた当時の米国において、このような不満を述べる人がいたそうです。科学が圧倒的に進歩しているにもかかわらず、足元の社会問題は一向に解決しないことへの苛立ち。現代という時代を生きている皆さんの中にも、この気持ちが分かるという方はいらっしゃるのではないでしょうか。

こうした問いに対して、社会問題はそもそも複雑であり、問題解決に携わる組織が抱えている特性や課題も相まって、合理的な解決が簡単にはできないと主張したのが、経済学者リチャード・ネルソン（Richard R. Nelson）氏です。[141] ネルソン氏は１９７７年に『月とゲットー』という本を出版し、この問題を扱いました。それから50年近く経った現代において私たちは、少しは前進できているでしょうか？ それとも、同じ場所で足踏みをしたままでしょうか？ 本書を読んだ皆さんがどのような感想を抱かれたのか、機会があればお聞きしてみたいと思います。

本書は私にとって、前著『政策にエビデンスは必要なのか』（ミネルヴァ書房）に続く、二冊目の単著です。本書執筆のきっかけは、光文社の高橋恒星さんからいただいたメールでした。私の単著だけでなく、共著『ネガティヴ・ケイパビリティで生きる』（さくら舎）をはじめ、インタビュー記事等に目を通していただいた上での依頼でした。

当時の私は、ある危機感を抱いていました。それは、ＥＢＰＭに携わっている人々のあいだで、これまでの政策評価の蓄積が十分に共有されていないのではないか、というものです。とある研究会でのことでした。ＥＢＰＭについて私が報告した際に、経済学をバックグラウンドとするコンサルタントの方と話をしました。その方は「杉谷先生、ＥＢＰＭで政策は変わりますよ。これからは手続き主義を越えて、成果主義の時代なんです。新しい時代の到来ですよ！」と嬉しそうに目を輝かせています。ですが、本書をお読みいただいた方にはもうお分かりかと思いますが、このような発想は、数十年前に我々が経験したＮＰＭ、行政革命の焼き直しに過ぎません。新しくも何ともないのです。

ですが、そのコンサルタントの方を責めるべきではありません。むしろ私は、公共政策の研究者たちにも課題があるのではと考えました。私たちは果たして、これまでの自分たちの営為を、自治体や政府の実践の積み重ねを分かりやすく伝える努力をしてきたのだろうか？　髙橋さんにこのような想いを話したところ共感してくださり、政策評価史を一般向けにコンパクトにまとめつつ、それをＥＢＰＭと結びつけるという本書のコンセプトが決まりました。無謀な試みだったかもしれませんが、不十分でありつつも大まかな図は描くことができたのではないかと思います。

本書は既発表の下記の文章ならびに記事を一部、参考にしています。それぞれ、本書の内容をコンパクトにしたものでありつつ、扱えなかった論点についても考察しているので、ご関心のある方はぜひご覧ください。

杉谷和哉（2023）「『エビデンス』との賢い付き合い方」『Voice』ＰＨＰ研究所（553）124-130

杉谷和哉（2024）「政治とエビデンスの複雑な関係」『世界』岩波書店（978）188-199
「エビデンスは思想を越えるか。ＥＢＰＭを幻想にしないために。杉谷和哉氏インタビュー。」
Less is More. by info Mart Corporation（https://note-infomart.jp/n/n489f286ff0c5）

本書の草稿に目を通していただき、適切なコメントをくださった吉川和挟さん、三上真嗣さん、若生幸也さんに深謝します。この本が少しでもよりよいものになっているのであれば、それは皆さんのお陰です。また、他にも多くの方々に文献の紹介等をいただき、その旨は巻末注に記しました。感謝いたします。

光文社の高橋さんにも御礼申し上げます。高橋さんが私の想いを受け止めてくださったからこそ、この本は完成しました。過去から学び、完璧とはいかないけれども、少しでも社会をよりよくするにはどうすればよいか。本書が皆さんをその思索へと誘うことができたのであれば、大変嬉しく思います。

※本書は、令和5年度岩手県立大学 全学競争研究費（課題名：ウェルビーイングを問い直す——岩手県発の新

しい政策基準確立を目指して）及び、令和5年度岩手県立大学 防災復興支援研究費（課題名：防災・復興政策におけるEBPM）並びに、令和6年度岩手県立大学 地域協働研究（課題名：総合計画の進行管理の在り方）の成果の一部です。

巻末注

（ＵＲＬは全て２０２４年6月20日最終アクセス）

1 本書で取り扱う政策評価の取り組みは、あくまでごく一部のものだということを最初に断っておきましょう。なお、国の府省をはじめとした政策評価の実践については、徳田（2023）が全般的な見取り図を提示しています。

2 図表１‐１は杉谷（2022：2）より抜粋。

3 これらの例は、リー（２０２０）に書かれているものです。本書は、オーストラリアの経済学者であり政治家でもあるアンドリュー・リーによるもので、ランダム化比較試験に関する数多くの興味深いエピソードが収載されています。より詳しく知りたい方はぜひ手にとってみてください。

4 杉谷（2022：28）より抜粋。

5 内山ほか（2022：192-193）。

6 https://whatworksgrowth.org/resource-library/employment-training-toolkit-careers-counselling/

7 Sanders and Breckon (2023: 131-132)。

8 余談ですが、「マーマイトは好き嫌いが分かれる」というのも実は思い込みではないか、とする検証結果があります。ある研究によれば、マーマイトに対する好き嫌いの「分断」は、実は他の食品と比べても大差がないとのことです。詳しくは、スタージ（2024：31-35）をご確認ください。なお、この本は統計行政の難しさを分かりやすく解説した良書です。ＥＢＰＭにも示唆がたくさんあるので、ご関心のある方はチェックしてください。

9 ケンブリッジ・サマービル青少年研究の記述は、Tremblay, et al. (2019) を参照しています。文献や関連する知見を提供してくださった、紀司かおり先生に深謝します。

10 以下、「ニュージャージー負の所得税実験」に関する記述は、塚田・長澤（2009）を参考にしています。

11 以下、ＰＰＢＳに関する記述は、宮川編著（1969）及び金子、編（1969）に依っています。

12 ＰＰＢＳについては、教科書等では科学的な政策立案を目指したものの、現場に関する無理解や立ちはだかる政治的な障壁によって挫折した、との説明がしばしば見られます。こうした説明は間違いではありませんが、当時の議論を振り返ってみると、ＰＰＢＳは万能の道具ではないと認識されていたほか、意思決定者の直観のようなものも決して軽視されていたわけではないことが分かります（宮川 1969：29；宮川編著 1969：52-53)。また、政治的な側面についても議論がなされており、ＰＰＢＳの実施にあたっては、幅広い情報を勘案して予算策定に役立てる必要があるとの提起もなされていました（シュルツ 1971)。なお、過去の遺物のように扱われることが多いＰＰＢＳですが、防衛政策の分野では現役で、近年でも研究が盛んに進められています（川上 2017)。

13 以下、ＰＰＢＳの失敗に関する記述は、長峯（2014：180-181）に依っています。

14 以下、プログラム評価に関する記述全般は、山谷監修（2020）を参照しています。この本は日本語で読める、主として行政学や政策学におけるプログラム評価の優れた教科書ですので、ご関心のある方はご一読をおすすめします。

15 このプログラムの定義は必ずしも公共セクター、つまり政府や自治体が主導する政策だけでなく、民間企業が行っているビジネスにも当てはまります。臨床心理学の分野や、ＮＧＯによる国際開発などにおいてもプログラム評価が行われているケースがあり、むしろ日本の場合は省庁よりも、それらのセクターやコミュニティにおける実践の方が多いとさえ言えるかもしれません。

16 プログラム評価は行政学の専売特許ではないということを明記しておきましょう。社会福祉や教育といった分野では、早い段階でプログラム評価の概念が知られていました。

17 以下、ＧＡＯに関する記述は、益田（2010）を参照しています。

18 この間、１９７７年に旧・行政管理庁行政監察局が導入した「新規行政施策の定期調査」や、１９９０年に提出された会計検査問題研究会（会計検査院に設置）などが前史としてありました。いずれも様々な理由により主流とはなりませんでしたが、ＧＡＯのプログラム評価の影響を色濃く受けた試みとして知られています（山谷 2012：52-57）。

19 以下、ＮＰＭに関する記述は、大住（2010）や真渕（2020）、山谷（2012）を主として参照しています。

20 後に登場する北川正恭氏は三重県知事当時、職員らに『行政革命』を配っていたとの報道があります。真偽のほどは定かではありませんが、大きな影響を受けていたのは確かなようです。（『朝日新聞』「知事という名の革命家（ポリティカにっぽん）」２０００年3月21日朝刊、早野透編集委員）

21 オズボーン／ゲーブラー（1995）をもとに筆者作成。

22 以上、新自由主義については、清水（2022）を、公共選択論については、川野辺・中村編著（2022）をそれぞれ参照しています。

23 以下、政策体系に関する事例は、大住（2010：97）の記述を参照しました。

24 事務事業評価に関する実例及び資料の出所は左記のサイトです。また、レビューシートには一部加工を施しました。

(https://www.city.morioka.iwate.jp/shisei/jichitaikeiei/gyoka/1010970/1010972/1010975.html)

25 盛岡市は現在、事務事業評価を廃止し、「小施策評価」という別の評価に取り組んでいます。このため、例示している事務事業評価シートは２０１４年度と、やや古いものです。盛岡市では廃止されているとは言え、ほとんどの自治体で取り組まれているのが事務事業評価であることを踏まえ、ここでは中心的に紹介します。

26 事務事業評価に関する記述は、窪田（2005）を参照しました。

27 ただし、全ての自治体において事務事業評価が全数評価で行われているわけではありません。三菱ＵＦＪリサーチ＆コンサルティングの調査によれば、全ての事業で事務事業評価を行っているのは33・１％とのことです（土方ほか 2023：28-29）。

28 北川（2004：41-50）。

29 この点については、窪田・池田（2016）を参照しています。なお、窪田・池田論文では、「プログラム評価」を、米国を中心に普及している「制度」の用語として用いており、そこで使われている手法を「体系的評価」と呼称しています。本書では、この論文で言うところの「体系的評価」と「プログラム評価」は同義として用いています。

30 上山（1998）。

31 同書の表紙には、英語表題が併記されています。それは *Reinventing Japan: A Review of Government Performance* で、原題を *Reinventing Government* としている『行政革命』を明らかに意識したものとなっており、参考文献にも挙げられています。

32 上山（2002）。

33 上山（1998：3）。

34 上山（1998：3）。

35 上山（1998：5）。

36 山谷（2012：176）。

37 上山（1999）。

38 上山（1999：154）。

39 上山（1999：164-169）。

40 これらの流れを二つのタイプの「新自由主義」であると区分けして論じたのが、宮川（2023）です。この本の中では、政府の役割を縮小して市場に任せる「ロールバック新自由主義」と、住民の活力発揮を期待する「ロールアウト新自由主義」の二種類があり、それぞれが代わる代わる、政策言説で支配的になってきたのだという興味深い指摘をしています。

41 真渕（2020：139-142）。

42 上山（1999：182）。

43 宇賀（2002：15）。

44 総務省が行う政策評価については、下記の通り定められています（行政機関が行う政策の評価に関する法律第十二条）。

・総務省は、二以上の行政機関に共通するそれぞれの政策であってその政府全体としての統一性を確保する見地から評価する必要があると認めるもの、又は二以上の行政機関の所掌に関係する政策であってその総合的な推進を図る見地から評価する必要があると認めるものについて、統一性又は総合性を確保するための評価を行うものとする。

2　総務省は、行政機関の政策評価の実施状況を踏まえ、当該行政機関により改めて政策評価が行われる必要がある場合若しくは社会経済情勢の変化等に的確に対応するために当該行政機関により政策評価が行われる必要がある場合において当該行政機関によりその実施が確保されないと認めるとき、又は行政機関から要請があった場合において当該行政機関と共同して評価を行う必要があると認めるときは、当該行政機関の政策について、政策評価の客観的かつ厳格な実施を担保するための評価を行うものとする。

3　前二項の規定による評価は、その対象とする政策について、その政策効果を把握し、これを基礎として、必要性、効率性又は有効性の観点その他政策の特性に応じて必要な観点から、行うものとする。

45　説明責任の多様な意味合いに関する概説は、山本（2013）が参考になります。

46　図表2‐6は、鏡（2019：12）をもとに、一部を改変したものです。

47　山谷（2020：6-7）。

48　山谷（2006：第八章）。

49　山谷（2002：7）。なお、山谷氏も本書と同様に政策評価には二つの流れがあったと整理していますが、その区分は「自治体／国」となっており、本書とはやや視点が異なっています。

50　「行政改革会議」最終報告。

(https://www.gyoukaku.go.jp/siryou/souron/report-final/III.html)

51 キャンベル（2014）。

52 西出（2016：19-20）。

53 西出（2020）。

54 窪田（2016：50）。

55 同上。なお、この点については窪田好男先生に改めてご指摘をいただきました。

56 ただ、このような評価の客観性に関する問題は、シートを埋めていく事務事業評価等においても見られます。人間が担当する以上、シートを埋める情報の整理に関する巧拙の差などはどうしても出てきますので、属人的な要素を完全に排除するのは難しいのです。

57 竹中編（2017）。

58 池田（2021：23）。

59 湯浅（2021：62）。

60 以下の効率性に関する議論は湯浅（2021：28-30）に依っています。

61 南島（2013：63）。

62 以下の記述は杉谷（2022）の第三章及び、古矢（2017）の記述をもとにしています。

63 総務省（2009: 2）。

64 伊藤ほか（2013）を参照。ただ、「結果＝エビデンス」とする考えは、ＥＢＰＭの観点から言えば正確とは言えません。

65　統計改革推進会議（2017b）を参照。
66　統計改革推進会議（2017a：2）より抜粋。
67　田辺（2020：25）。
68　以下の記述は杉谷（2022）の第二章及び、第四章〜第六章を参照しています。
69　経済財政諮問会議（2015）を参照。
70　ただし、こうした共同研究の取り組み対象は限定的であること、得られた研究成果がどのように政策に反映されているかは不透明であること等に注意が必要です。
71　経済財政諮問会議（2016：33）。
72　統計改革推進会議（2017b：7）。
73　経済産業省（2021a：6）。
74　経済産業省（2021a：1）。
75　経済産業省（2021b）。
76　内閣官房行政改革推進本部事務局（2022b：8）。
77　レビューシートの画像の出典は、内閣官房行政改革推進本部事務局のＨＰです（https://www.gyoukaku.go.jp/）。なお、２０２４年度より、行政事業レビューの数値入力は電子化され、レビューシートに数字を打ち込む作業はなくなるようで、本書に掲載している２０２３年度のエクセルファイルは今後、用いられなくなります。ですが、最終的に出力されるシートの構成にも、「インプット」から始まるロジックモデルの構造が搭載される運びとなっており、フォーマット自体に大きな変更はありません。この件について問い合わせに応じていただいた、内閣官房行政改革推進本部事務局のスタッフに感謝申し上げます。また、後に述べるロジックモデルの課題についても当局は認識しているようで、内閣官房行政改革推進本部事務局のＨＰには、『行政事業レビューシート作成ガイドブック』という資料が掲載されています。このガイドブックには、よりよいロジックモデルの作り方についての手引きが掲載されており、行政事業レビューの効果的な運用に資することが期待されます（https://www.gyoukaku.go.jp/review/img/R06sakusei-guidebook.pdf）。

78 佐藤編著（2021：22-23）。

79 佐藤編著（2021：100-105）。

80 Jordan(2013: 160-161)。

81 永久（2019）。

82 田中（2020）。

83 内閣官房行政改革推進本部事務局（2022a：22）の表を一部改変。

84 以下の記述は、奥田（2023）の議論を参照しています。

85 図表４－２は、奥田（2023：48）より、一部改変したものです。

86 奥田（2023：43-45）

87 大橋（2020）。

88 以下の記述は、奥田（2023）、杉谷（2022）及びParkhurst(2017)を参照しています。

89 Parkhurst (2017: 59) より筆者作成。

90 片野田（2020）。

91 ベッカーほか（2015）。

92 以下、ＮＴＤｓの記述については、石川・梶浦（2017）を参照しています。

93 本節は、Parkhurst(2017：109-118) 及び、奥田（2023：55-56）の記述を参照しています。

94 松村（2021：36）。

95 Triantafillou (2017: 124-125)。

96 このような喩えを読んで、「このヒュームという人は何という面倒くさい人なんだ。科学的にもっと研究を深めていけば分かることだろう」と思う人もいるかもしれません。そうした疑問については、須藤・伊勢田（2021）が参考になります。

97 科学哲学における因果性の議論については、マンフォード／アンユム（2017）及び、クタッチ（2019）が参考になります。本書における記述もこれらの書籍を参照しています。

98 Cartwright(2013)。

99 桐村（2020）。

100 Cartwright and Hardie (2012: 15-18)。

101 桐村（2019）。

102 ここで論じた、科学哲学とＥＢＰＭの関係は、あくまでもごく表層的なものに過ぎません。近年、国内でもＥＢＰＭにおいて科学哲学的な視点を活用しようとの動きが活発になっており、ここでの議論よりも更に深く、重要な見解が示されています。日本評価学会の学会誌、『日本評価研究』第24巻１号（２０２

4年刊）は、このような論文が多数掲載された特集号です。ご関心のある方はぜひ読んでみてください。

103 Parkhurst(2017: 118) ならびに、奥田（2023：56）を参考に筆者作成。

104 Parkhurst(2017: 163) 及び、杉谷（2022：171）。

105 Parkhurst(2017: 161-162) 及び、杉谷（2022：172-173）。

106 Boaz and Nutley (2024) 及び、加納ほか（2020）。

107 林（2024：231-240）。

108 こうした発想は、いわゆる「エビデンス統合」（Evidence Synthesis）に近いと言えるでしょう。「エビデンス統合」とは、質的研究と量的研究のように、方法論が異なるアプローチによって得られた情報を統合し、ある特定の介入の効果や影響の把握に資するものです。なお、一口に「エビデンス統合」と言っても、様々な方法があり、それぞれに強みや弱み、特徴などがあります（ポープほか 2009）。

109 こうした議論を科学哲学の観点を踏まえつつ扱った重要な研究として、西村・呉（2024）があります。

110 山田（2016：143）。

111 西出（2023：28-30）。

112 杉谷（2022：185-191）。

113 杉谷（2021a：29）。

114 ウィキッド・プロブレムとしての新型コロナ感染症について詳しくは、杉谷（2021a）をご覧ください。

115 足立（2009：4-5）。

116 足立・杉谷（2020：81-82）。

117　山谷（2006：11）。

118　湯浅（2021：20）より一部改変。

119　奥田（2017）。

120　杉谷（2021b）。

121　牧原・坂上（2023）。

122　足立（2023：228-230）。

123　足立（2009：182-183）。

124　こうした観点は、よく知られているクラウゼヴィッツによる「戦争とは、別の手段を用いた政治の継続である」といったテーゼとは異なります。足立氏はクラウゼヴィッツを批判した政治学者、バーナード・クリックに依拠してこの立論を展開しています（足立 2009：183）。

125　Head (2022)。

126　成田（2022）。

127　山谷（2006：159-160）。

128　こうした政治観については、大井（2023）を参照。

129　Howard(2024: 26-27)。

130　どれほど整った制度を作ったとしても、政策の存廃を決めるための議会、首長といった政治的アクターの働きかけと組み合わせなければ、有効に機能しないのではないかとの示唆は、地方自治に「政治」を復権すべきと主唱する後房雄（うしろふさお）氏によってもなされています（後 2022：199-202）。

131 杉谷（2022：149)。

132 Sugitani (2023)。

133 杉谷（2023)。

134 行政事業レビューにおいてＥＢＰＭ推進が図られるようになった詳細な経緯については、杉谷（2022：第五章・第六章）を参照してください。

135 池田（2021)。

136 https://cyberagentailab.github.io/EBPMDB/

137 Barrados, et al. (2023)。

138 足立・杉谷（2020：85)。

139 この論点については市島宗典先生にご示唆いただきました。

140 評価指標とリーダーシップについては、Behn (2014) が優れた包括的指摘をしています。当該書を紹介してくださった南島和久先生に深謝します。

141 ネルソン（2012)。

参考文献

（ＵＲＬは全て、２０２４年４月４日最終アクセス）

足立幸男・杉谷和哉（2020）「新型コロナ感染症（COVID-19）が公共政策学に突き付けているもの：リーダーシップと専門性を中心に」『公共政策研究』(20)76-86

足立幸男（2009）『公共政策学とは何か』ミネルヴァ書房

足立幸男（2023）「民主主義の病理の克服に向けての立法府及び立法者の役割：『立法学』への誘い」田中成明・足立幸男編著『政治における法と政策：公共政策学と法哲学の対話に向けて』勁草書房

家子直幸ほか（2016）「エビデンスで変わる政策形成：イギリスにおける『エビデンスに基づく政策』の動向、ランダム化比較試験による実証、及び日本への示唆」三菱ＵＦＪリサーチ&コンサルティング政策研究レポート

池田葉月（2021）『自治体評価における実用重視評価の可能性：評価結果の報告方法と評価への参加に着目して』晃洋書房

石川理那・梶浦雅己（2017）「グローバル市場における知的所有権管理について（その３）：『顧みられない熱帯病』への国際的な取り組みの現状」『流通研究：愛知学院大学流通科学研究所所報』(23)23-42

伊藤元重ほか（2013）『財政の質の改善に向けて：実効性あるＰＤＣＡサイクルの構築に向けて』２０１３年第六回経済財政諮問会議説明資料

(https://www5.cao.go.jp/keizai-shimon/kaigi/minutes/2013/0308/shiryo_02.pdf)

上山信一（1998）『「行政評価」の時代：経営と顧客の視点から』ＮＴＴ出版

上山信一（1999）『「行政経営」の時代：評価から実践へ』ＮＴＴ出版

上山信一（2002）『日本の行政評価：総括と展望』第一法規

宇賀克也（2002）『政策評価の法制度：政策評価法・条例の解説』有斐閣

後房雄（2022）『地方自治における政治の復権：政治学的地方自治論』北大路書房

内山融・小林庸平・田口壮輔・小池孝英（2022）「英国におけるＥＢＰＭと日本への示唆」大竹文雄・内山融・小林庸平編著『ＥＢＰＭ：エビデンスに基づく政策形成の導入と実践』日本経済新聞出版

大井赤亥（2023）『政治と政治学のあいだ：政治学者、衆議院選挙をかく闘えり』青土社

大住荘四郎（2010）『行政マネジメント』ミネルヴァ書房

大橋弘（2020）「政策立案の力を研鑽できる場の構築を目指して」大橋弘編『ＥＢＰＭの経済学：エビデンスを重視した政策立案』東京大学出版会

奥田恒（2017）「政策デザイン論の諸潮流：１９８０～90年代を中心に」『社会システム研究』(20)193-207

奥田恒（2023）「エビデンスに基づく政策形成（ＥＢＰＭ）における『適切なエビデンス』：ジャスティン・パークハーストの『よいエビデンス』の条件」『金沢大学経済論集』43(1)37-62

オズボーン，D.／ゲーブラー，T.（1995）『行政革命』（野村隆監修、高地高司訳）日本能率協会マネジメントセンター
鏡圭佑（2019）『行政改革と行政責任』晃洋書房
片野田耕太（2020）「受動喫煙の健康影響とその歴史」『保健医療科学』69(2)103-113
金子太郎編（1969）『ＰＰＢＳの基礎知識』金融財政事情研究会
加納寛之・林岳彦・岸本充生（2020）「ＥＢＰＭからＥＩＰＭへ：環境政策におけるエビデンスの総合的評価の必要性」『環境経済・政策研究』13(1)77-81
川上智（2017）「ＰＰＢアプローチを活かす業務環境」『海幹校戦略研究』7(1)76-102
川野辺裕幸・中村まづる編（2022）『公共選択論』勁草書房
北川正恭（2004）『生活者起点の「行政革命」』ぎょうせい
キャンベル，ジョン，C.（2014）『自民党政権の予算編成』（真渕勝訳）勁草書房
桐村豪文（2019）「活用のためのエビデンス論：『そこでうまくいった』から『ここでうまくいく』への飛躍」『弘前大学教育学部紀要』(121)179-188
桐村豪文（2020）「社会政策における因果関係の理論的枠組みの探究：自由と創造性を可能にする政策のパースペクティブ」『弘前大学教育学部紀要』(124)123-133
クタッチ，ダグラス（2019）『現代哲学のキーコンセプト因果性』（相松慎也訳、岩波書店）

窪田好男（2005）『日本型政策評価としての事務事業評価』日本評論社

窪田好男・池田葉月（2015）「自治体評価制度の主要手法は業績測定ではない：近畿地方の全府県・市町村の調査から」『福祉社会研究』(16)1-18

窪田好男（2016）「政策評価と民意」『公共政策研究』（16）46-58

経済財政諮問会議（2015）『経済財政運営と改革の基本方針２０１５：経済再生なくして財政健全化なし』(https://www5.cao.go.jp/keizai-shimon/kaigi/cabinet/honebuto/2015/2015_basicpolicies_ja.pdf)

経済財政諮問会議（2016）『経済財政運営と改革の基本方針２０１６：６００兆円経済への道筋』(https://www5.cao.go.jp/keizai-shimon/kaigi/cabinet/honebuto/2016/2016_basicpolicies_ja.pdf)

経済産業省（2021a）『ＧｏＴｏイベント事業、ＧｏＴｏ商店街事業について』(https://www.meti.go.jp/information_2/publicoffer/review2021/kokai/overview1.pdf)

経済産業省（2021b）『5月28日 経済産業省令和3年度行政事業レビュー公開プロセス 議事録』(https://www.meti.go.jp/information_2/publicoffer/review2021/kokai/minutes1.pdf)

小池拓自（2020）「エビデンス仲介機関としての英国ＷＷＣＬＥＧの取組：英国における地域経済成長政策とＥＢＰＭ」『レファレンス』(835)1-28頁

佐藤徹編著（2021）『エビデンスに基づく自治体政策入門：ロジックモデルの作り方・活かし方』公職研

清水習（2022）「新自由主義のイデオロギー研究Ⅰ：思想としての新自由主義の系譜学」『宮崎公立大学人文学部紀要』29(1)67-92
シュルツ，チャールズ・L.（1971）『ＰＰＢＳと予算の意思決定』（大川政三・加藤隆司訳）日本経営出版会
杉谷和哉（2021a）「ウィキッド・プロブレムとしての新型コロナ感染症：政治と専門性の関係を中心に」『医療福祉政策研究』4(1)27-37
杉谷和哉（2021b）「イアン・サンダーソンのＥＢＰＭ論：その特徴及び意義についての考察」『政策情報学会誌』15(1)5-12
杉谷和哉（2022）『政策にエビデンスは必要なのか：ＥＢＰＭと政治のあいだ』ミネルヴァ書房
杉谷和哉（2023）「転換期における行政事業レビューの実相と課題：ＥＢＰＭと『アジャイル型政策形成・評価』」『日本評価研究』23(2)17-30
スタージ，ジョージナ（2024）『ヤバい統計：政府、政治家、世論はなぜ数字に騙されるのか』（尼丁千津子訳）集英社
須藤靖・伊勢田哲治（2021）『科学を語るとはどういうことか 増補版』河出書房新社
総務省（2009）『公的統計の整備に関する基本的な計画』(https://www.soumu.go.jp/main_content/000283571.pdf)
竹中治堅編（2017）『二つの政権交代：政策は変わったのか』勁草書房

田中啓（2020）「『霞ヶ関改革運動』としての政府のＥＢＰＭ推進：その意義・課題と今後の展望」『季刊行政管理研究』(171)21-39

田辺智子（2020）「エビデンスに基づく政策立案（ＥＢＰＭ）の推進に向けて：医療の経験からの示唆」『日本評価研究』20(2)19-31

塚田幸広・長澤光太郎（2009）「社会基盤の政策マネジメントにおける社会実験の役割に関する考察」『運輸政策研究』12(1)29-35

津田広和・岡崎康平（2018）「米国におけるEvidence-based Policymaking（ＥＢＰＭ）の動向」RIETI Policy Discussion Paper Series 18 P-016

統計改革推進会議（2017a）『統計改革推進会議最終取りまとめ（案）参考資料』
（https://www.kantei.go.jp/jp/singi/toukeikaikaku/dai3/siryou1-3.pdf）

統計改革推進会議（2017b）『統計改革推進会議 最終取りまとめ』
（https://www.kantei.go.jp/jp/singi/toukeikaikaku/pdf/saishu_honbun.pdf）

徳田貴子（2023）「政府における評価制度：行政事業レビュー、政策評価制度、行政評価・監視、予算執行調査、会計検査」『立法と調査』(459)218-227
（https://www.sangiin.go.jp/japanese/annai/chousa/rippou_chousa/backnumber/20230802.html）

内閣官房行政改革推進本部事務局（2022a）『ＥＢＰＭガイドブック：政策担当者はまず読んでみよう！ 行政の「無謬性神話」からの脱却に向けた、アジャイル型政策形成・評価の実践 Ver1.0』(https://www.gyoukaku.go.jp/ebpm/img/guidebook1.0_221107.pdf)

内閣官房行政改革推進本部事務局（2022b）『行政改革推進会議（第51回）議事録』(https://www.kantei.go.jp/jp/singi/gskaigi/dai51/gijiroku.pdf)

永久寿夫（2019）「ＥＢＰＭと行政事業レビュー：既存行政事業のＥＢＰＭによる再設計の限界：機能性表示食品制度を農産物に広げる事業のレビューより」『CUC view & vison』(48)12-19

長峯純一（2014）『費用対効果』ミネルヴァ書房

南島和久（2013）「政策評価とアカウンタビリティ：法施行後10年の経験から」『日本評価研究』13(2)53-67

成田悠輔（2022）『22世紀の民主主義：選挙はアルゴリズムになり、政治家はネコになる』SBクリエイティブ

西出順郎（2016）「自治体評価を振り返る：『活かさず殺さず』の20年」『日本評価研究』16(1)17-30

西出順郎（2020）『政策はなぜ検証できないのか：政策評価制度の研究』勁草書房

西出順郎（2023）「政策評価研究の黄昏」『ガバナンス研究』(19)19-33

西村君平・呉書雅（2024）「実在論的評価の理論と日本のＥＢＰＭへの示唆」『日本評価研究』24(1)29-44

ネルソン，リチャード（2012）『月とゲットー：科学技術と公共政策』（後藤晃訳）慶應義塾大学出版会

林岳彦（2024）『はじめての統計的因果推論』岩波書店
土方孝将・鈴木淳・大塚敬・沼田壮人（2023）「令和4年度　自治体経営改革に関する実態調査報告」三菱ＵＦＪリサーチ&コンサルティングレポート
(https://www.murc.jp/library/report/seiken_230728/)
古矢一郎（2017）「政府における『証拠に基づく政策立案（ＥＢＰＭ）』への取組について」『季刊行政管理研究』(160)76-85
ベッカー，マリー・D．藤倉良、中山幹康、藤倉まなみ（2015）「米国の気候変動政策過程の背後で働くロビイスト」『公共政策志林』(3)3-17
ポープ，キャサリン／メイズ，ニコラス／ポペイ，ジェニー（2009）『質的研究と量的研究のエビデンスの統合：ヘルスケアにおける研究・実践・政策への活用』（伊藤景一・北素子監訳）医学書院
牧原出・坂上博（2023）『きしむ政治と科学：コロナ禍、尾身茂との対話』中央公論新社
益田直子（2010）『アメリカ行政活動検査院：統治機構における評価機能の誕生』木鐸社
松村一志（2021）『エビデンスの社会学：証言の消滅と真理の現在』青土社
真渕勝（2020）『行政学［新版］』有斐閣
マンフォード，スティーブン／アンユム，ラニ，リル（2017）『哲学がわかる　因果性』（塩野直之・谷川卓訳）岩波書

店
宮川公男編著（1969）『ＰＰＢＳの原理と分析：計画と管理の予算システム』有斐閣
宮川公男（1969）「ＰＰＢＳ概論」金子太郎編『ＰＰＢＳの基礎知識』金融財政事情研究会
宮川裕二（2023）『「新しい公共」とは何だったのか：四半世紀の軌跡と新自由主義統治性』風行社
山田真裕（2016）『政治参加と民主政治』東京大学出版会
山本清（2013）『アカウンタビリティを考える：どうして「説明責任」になったのか』ＮＴＴ出版
山谷清志（2002）「わが国の政策評価：１９９６年から２００２年までのレビュー」『日本評価研究』2(2)3-15
山谷清志（2006）『政策評価の実践とその課題：アカウンタビリティのジレンマ』萌書房
山谷清志（2012）『政策評価』ミネルヴァ書房
山谷清志（2020）「アカウンタビリティと評価：ふたたび『状況と反省』」、『会計検査研究』(62)5-10
山谷清志監修（2020）『プログラム評価ハンドブック：社会課題解決に向けた評価方法の基礎・応用』晃洋書房
湯浅孝康（2021）『政策と行政の管理：評価と責任』晃洋書房
リー，アンドリュー（2020）『ＲＣＴ大全：ランダム化比較試験は世界をどう変えたのか』（上原裕美子訳）みすず書房

（英語）

Barrados, M. and Montague, S. and Blain, J. (2023) "COVID Crisis: Time to Recalibrate Evaluation", Eliadis, P. et al, edit. *Policy Evaluation in the Era of COVID-19*, Routledge.

Behn, R.D. (2014) *The PerformanceStat Potential: Leadership Strategy for Producing Results*, Brookings.

Boaz, A. and Nutley, S. (2024) "Evidence-Informed Policy and Practice", Bovaird, T. and Loeffler, E. edit, *Public Management and Governance Fourth Edition*, Routledge.

Cartwright, N. (2013) "Knowing What We are Talking About: Why Evidence Doesn't Always Travel", *Evidence & Policy*, 9(1), pp.97-112.

Cartwright, N. and Hardie, J. (2012) *Evidence-Based Policy: A Practical Guide to Doing It Better*, Oxford University Press.

Head, B. (2022) *Wicked Problems in Public Policy: Understanding and Responding to Complex Challenges*, Palgrave Macmillan.

Howard, C. (2024) "State Formation and Statistics", Triantafillou, P. and Lewis, J.M. edit, *Handbook on Measuring Governance*, Edward Elgar.

Jordan, G.B. (2013) "Logic Modeling: A Tool for Designing Program Evaluations", Link, A.N. and Vonortas, N.S.

edit, *Handbook on the Theory and Practice of Program Evaluation*, Edward Elgar.

Parkhurst, J. (2017) *The Politics of Evidence: From Evidence-Based Policy to the Good Governance of Evidence*, Routledge.

Sanders, M. and Breckon, J. (2023) "Criticisms and Challenges of the What Works Centres", Sanders, M. and Breckon, J. edit, *The What Works Centres: Lessons and Insights from an Evidence Movement*, Policy Press.

Sugitani, K. (2023) "The Politics of Evidence in Japan: Struggling Between Efficiency and Effectiveness and Beyond", Adachi, Y. and Usami M. edit, *Governance for a Sustainable Future: The State of the Art in Japan*, Springer.

Tremblay, R.E. and Welsh, B.C. and Sayre-McCord, G. (2019) "Crime and the Life-Course, Prevention, Experiments, and Truth Seeking: Joan McCord's Pioneering Contributions to Criminology", *Annual Review of Criminology*, (2), pp.1-20.

Triantafillou, P. (2017) *Neoliberal Power and Public Management Reforms*, Manchester University Press.

杉谷和哉（すぎたにかずや）
1990年大阪府生まれ。京都府立大学公共政策学部公共政策学科卒業。京都大学大学院人間・環境学研究科博士後期課程研究指導認定退学。博士（人間・環境学）。京都文教大学非常勤講師、京都大学大学院文学研究科特定研究員などを経て、現在、岩手県立大学総合政策学部講師。専門は公共政策学。著書に『政策にエビデンスは必要なのか：EBPMと政治のあいだ』（ミネルヴァ書房）、『ネガティヴ・ケイパビリティで生きる：答えを急がず立ち止まる力』（共著、さくら舎）など。

日本の政策はなぜ機能しないのか？
ＥＢＰＭの導入と課題

2024年7月30日初版1刷発行

著　者 ── 杉谷和哉
発行者 ── 三宅貴久
装　幀 ── アラン・チャン
印刷所 ── 堀内印刷
製本所 ── 国宝社
発行所 ── 株式会社光文社
東京都文京区音羽1-16-6（〒112-8011）
https://www.kobunsha.com/
電　話 ── 編集部03（5395）8289　書籍販売部03（5395）8116
制作部03（5395）8125
メール ── sinsyo@kobunsha.com

 ISBN 978-4-334-10376-7

1298
漫画の未来
明日は我が身のデジタル・ディスラプション（破壊的変革）

小川悠介

スマホ向け漫画「ウェブトゥーン」の台頭に、絵を自動で描く「生成AI」の進化。デジタル時代に、漫画はどこへ向かうのか？　取材を重ねた記者が、経営・ビジネスの観点からその未来図を探る。

978-4-334-10225-8

1299
死なないノウハウ
独り身の「金欠」から「散骨」まで

雨宮処凛

失職、介護、病気など、「これから先」を考えると押し寄せる不安……。各界の専門家に取材し、役立つ社会保障制度などを紹介する、不安な人生をサバイブするための必須情報集！

978-4-334-10226-5

1300
〈共働き・共育て〉世代の本音
新しいキャリア観が社会を変える

本道敦子　山谷真名
和田みゆき

当事者インタビューで明らかになった、〈共働き・共育て〉を志向するミレニアル世代の本音、そして子育て中の男性の苦悩。当事者、そして企業が取るべき対策とは？【解説・佐藤博樹】

978-4-334-10249-4

1301
子ども若者抑圧社会・日本
社会を変える民主主義とは何か

室橋祐貴

変化の激しい時代に旧来の価値観で政治が行われ、閉塞感が漂う日本。先進諸国で若い政治リーダーが台頭している中、なぜ日本だけ変われないのか？若者が参加できる民主主義を示す。

978-4-334-10250-0

1302
子どものこころは大人と育つ
アタッチメント理論とメンタライジング

篠原郁子

ボウルビィが提唱したアタッチメント（愛着）は、子どもにとって重要なすべての大人との間に形成されうる。心で心を思うこと（メンタライジング）をベースに、アタッチメント理論をわかりやすく解説する。

978-4-334-10251-7

1308
中高生のための「探究学習」入門
テーマ探しから評価まで
中田亨

仮説を持て、さらば与えられん！　アイデアの生み出し方、調査や実験の進め方、結果のまとめと成果発信、安全や倫理等を具体的にガイド。研究者の卵や大人にも探究の面白さを伝える。

978-4-334-10293-7

1309
世界の富裕層は旅に何を求めているか
「体験」が拓くラグジュアリー観光
山口由美

旅に大金を投じる世界の富裕層が求めるものは？　彼らの旅のスタンダードとは？　近年のラグジュアリー観光を概観し、安心や快適さではない、彼らが求める「本物の体験」を描き出す。

978-4-334-10294-4

1310
生き延びるために芸術は必要か
森村泰昌

歴史的な名画に扮したセルフポートレイト作品で知られ、「私」の意味を追求してきた美術家モリムラが、「芸術」を手がかりに「生き延びること」について綴ったM式・人生論ノート。

978-4-334-10295-1

1311
組織不正はいつも正しい
ソーシャル・アバランチを防ぐには
中原翔

燃費不正、不正会計、品質不正、軍事転用不正……。組織不正はなぜあとを絶たないのか――。気鋭の経営学者が、組織をめぐる「正しさ」に着目し、最新の研究成果を踏まえて考察する意欲作。

978-4-334-10322-4

1312
経営の力と伴走支援
「対話と傾聴」が組織を変える
角野然生

経営者との「対話と傾聴」を通じ、自立的な企業変革への道筋をつける「伴走支援」の枠組みを、第一人者の実践を基に示す。南山大学教授・中村和彦による、組織開発の視点での解説を収録。

978-4-334-10324-8